弁護士
裁判所
裁判官
プログラマー
JN107649
図書館
美容師
司書
病院
医師
消防官
（救急隊員）
看護師
建築士事務所
建築士
警察署
POLICE
警察官
弁護士
弁護士
事務所

暮らしを支える仕事 見る 知る シリーズ

理容師・美容師の一日

保育社
HOIKUSHA

はじめに

理容師・美容師の仕事って、どんなもの？

身だしなみを整える「理容」と「美容」、それぞれのプロフェッショナル！

髪がのびたとき、ヘアカットをするために理容室や美容室に行ったことがある人は多いでしょう。どちらも髪を切ってくれるところというイメージがあり、理容師と美容師の仕事も同じように思えるかもしれません。

しかし、理容師と美容師は別の資格。仕事の内容についても、法律による定めがあります。「理容」とは、頭髪のかりこみ、顔そりなどにより容姿を整えること（理容師法より）。一方、「美容」とは、パーマネントウェーブ、結髪、化粧などの方法により、容姿を美しくすること（美容師法より）とされています。仕事内容に重なる部分は多いとはいえ、それぞれに専門とする技術があります。

理容師・美容師はいずれも国家資格です。都道府県知事が指定する養成施設で必要な知識と技術を学び、国家試験に合格しなければ、理容師・美容師として仕事をすることはできません。はさみを使って、お客さんの体の一部である髪を切るという行為は、安全かつ、衛生的に行わなければならないため、専門的な技能が求められるのです。

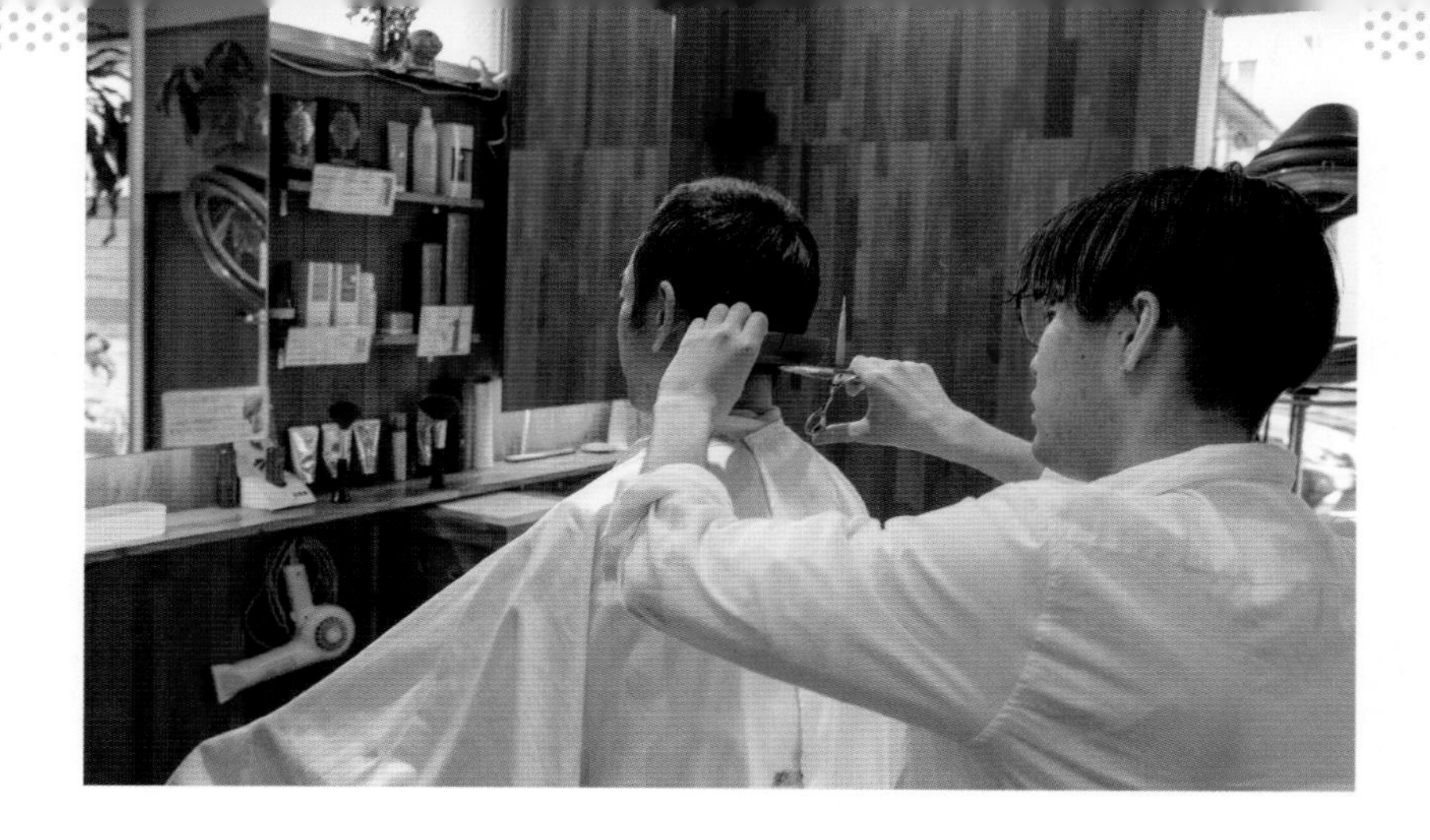

活躍の場は多岐にわたり、一生続けられる仕事

理容師・美容師が働く場所は、理容室や美容室だけではありません。シェービング（顔そり）を専門に行うサロン、ブライダルヘアメイクを手がける美容室、テレビや雑誌の撮影現場のヘアメイクを担当する会社などでも、資格をいかして活躍することができます。近年は、高齢や病気で理容室や美容室に行くことができない人のために、自宅を訪問して理容・美容のサービスを提供する「訪問理美容」も注目されています。

理容師・美容師は、確かな技術があれば、一生続けていくことができる仕事。そして何より、容姿を美しく整えることで、お客さんに喜んでもらえる仕事です。その技術によって人を笑顔にすることができる、やりがいのある職業といえるでしょう。

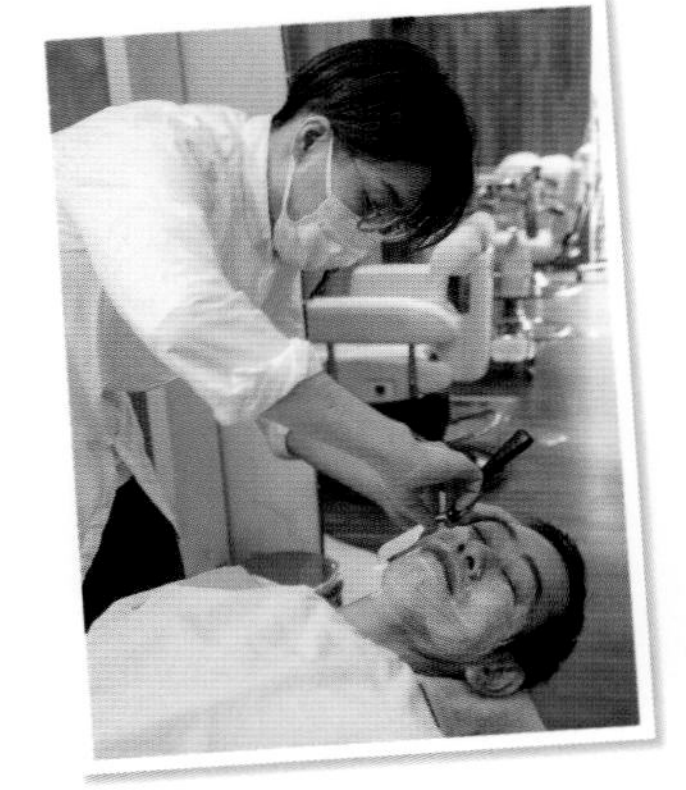

目次

Part 1 理容師・美容師の一日を見て！ 知ろう！

インタビュー編　いろいろな分野で働く理容師・美容師

Part 2　目指せ理容師・美容師！　どうやったらなれるの？

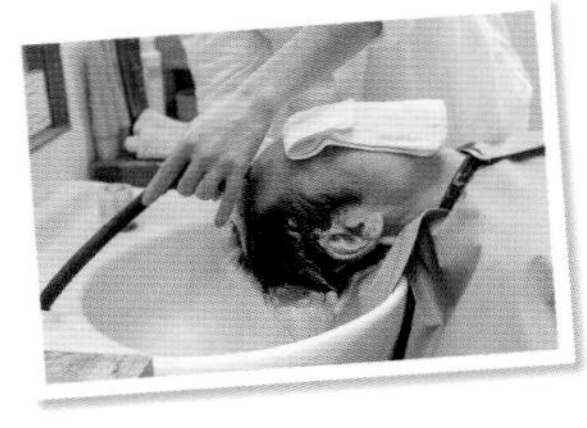

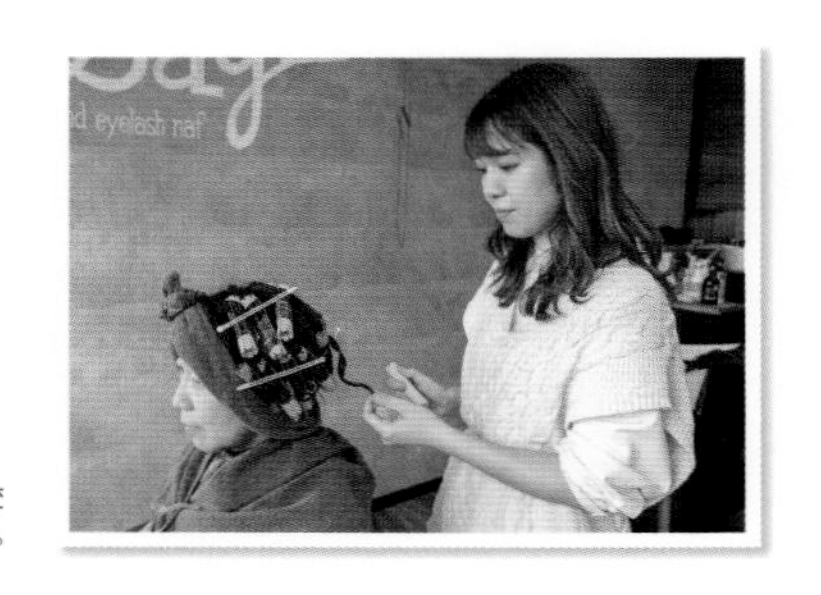

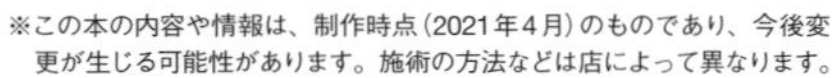
※この本の内容や情報は、制作時点（2021年4月）のものであり、今後変更が生じる可能性があります。施術の方法などは店によって異なります。

理容師・美容師の仕事場

一般的によく知られている仕事場は理容室や美容室ですが、理容・美容の専門的な知識や技術をいかして、さまざまな場所で活躍できます。

理容室（理容所）

理容師が、カット、カラー、パーマ、シェービング（顔そり）などによって容姿を整えるサービスを提供する店。法律上の正式名称は「理容所」といいます。理容師免許を取得した人のほとんどが理容室に就職します。昔は「床屋」と呼ばれましたが、最近では「ヘアサロン」「バーバー」といった名称のおしゃれな店も増えています。

お客さんの自宅

病気や高齢で外出が困難な人の自宅を訪問して行う「訪問理美容」のニーズが増えています。使用する器具を運んだり、体勢に配慮したりと、特別な知識も必要です。

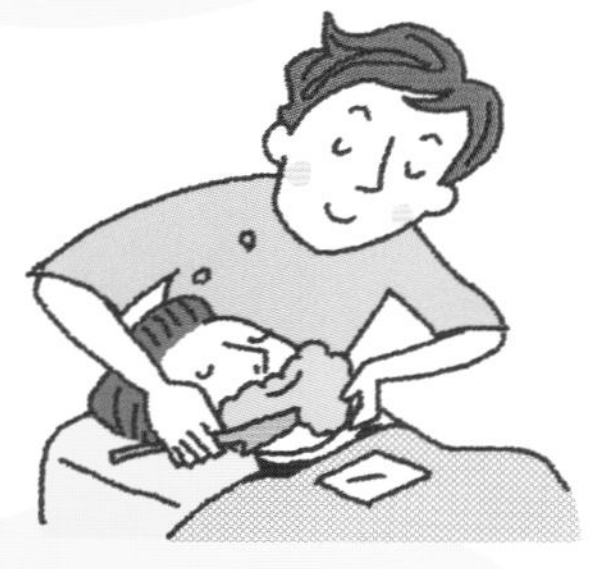

シェービングサロン

顔、首、背中などのシェービングを専門にしている理容所。シェービングは、理容師にのみ認められた業務です。ブライダルシェービングなど、女性向けにサービスを提供する店も増えています。

一般企業

ヘアケア商品やカラー剤などをあつかう会社で働く理容師・美容師もいます。現場経験をいかして、商品開発や商品テストなどの業務にたずさわります。

美容室（美容所）

美容師が、カット、カラー、パーマ、ヘアセット、メイクなどによって容姿を美しくするサービスを提供する店。「美容院」「ヘアサロン」などとも呼ばれますが、法律上の正式名称は「美容所」といいます。ネイルやまつ毛エクステンションのサービスをあわせて提供する店、ヘアカラーやヘアメイクを専門に行う店もあります。

結婚式場・ホテル

新郎新婦のヘアメイクをおもな業務とする美容室があり、ブライダル専門の美容師が働いています。

ヘアメイク事務所

雑誌や広告、テレビに出るモデルやタレントのヘアメイクを担当する会社。美容師免許をもつヘアメイクアーティストが働いています。

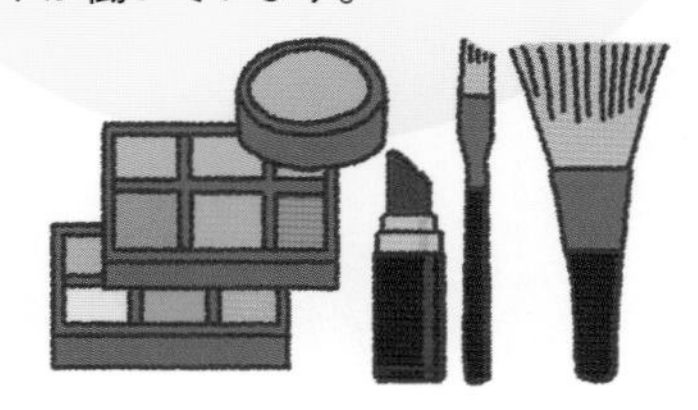

アイラッシュサロン

まつ毛エクステンションなど、まつ毛美容のサービスを提供する店。これらの業務を行うことができるのは美容師だけです（37ページ）。また、アイラッシュサロンを営業するには、美容所としての登録が必要です。

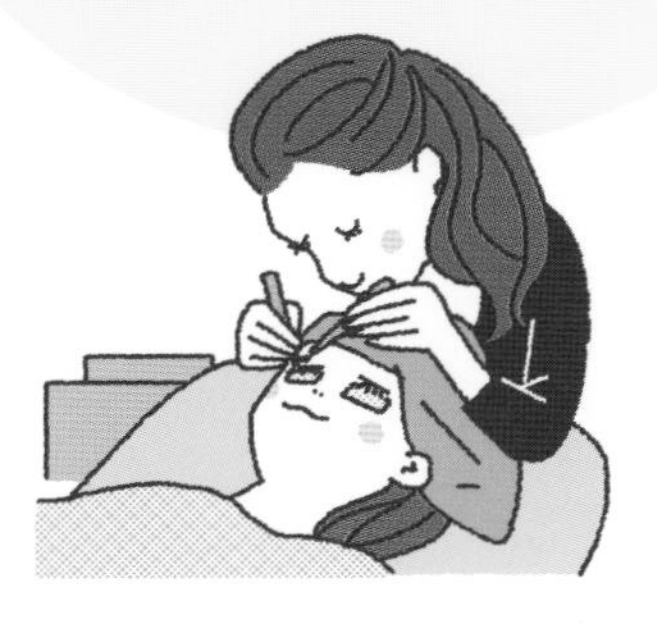

病院

入院中の患者さんも利用できるよう、施設内に理容室や美容室を設けている病院があります。シャンプー台への移動をなくすなど、患者さんの負担を軽くするためのくふうがなされています。

理容師・美容師大解剖！

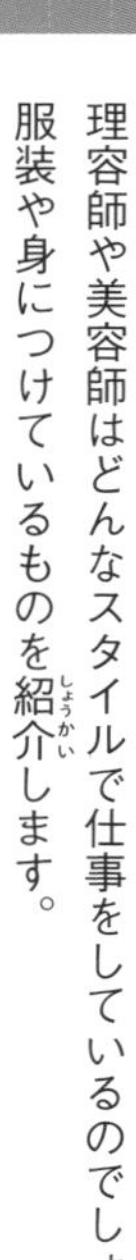

理容師や美容師はどんなスタイルで仕事をしているのでしょう。服装や身につけているものを紹介します。

理容師

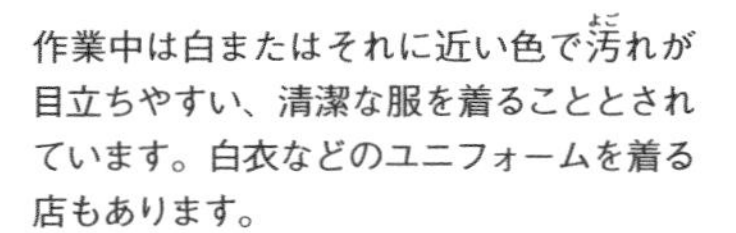

作業中は白またはそれに近い色で汚れが目立ちやすい、清潔な服を着ることとされています。白衣などのユニフォームを着る店もあります。

髪型

清潔に保つとともに、お客さんにおしゃれな印象を与えるようなスタイルを心がけている。

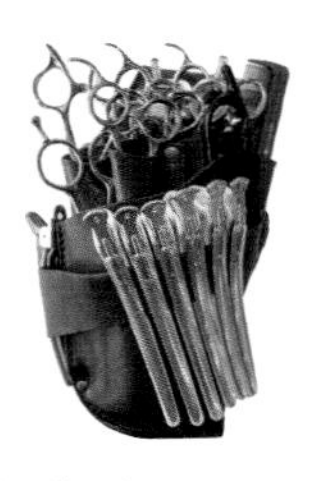

シザーケース

はさみ類を入れるケース。こまめに手入れをして衛生的に管理している。

手

つめは常に短く切っておく。お客さん1人ごとの作業の前後には、手を洗ったり消毒したりする。

靴

一日中、立ち仕事で、動き回ることも多いため、疲れにくい靴をはいている。

美容師

理容師と同様に、清潔な服を着ることとされています。白い服には、鏡の前に立ったとき、お客さんの髪型や頭のシルエットが見やすいという利点もあります。

多くの店で私服着用ですが、カラーやパーマの薬剤で汚れることが多いため、仕事用の服を決めている人が多いようです。

よく使う道具

理容師・美容師の仕事道具といえば、はさみ。プロは「シザー」と呼びます。シェービングの道具は理容師だけが使います。(→パーマの道具は12ページ)

カットの道具

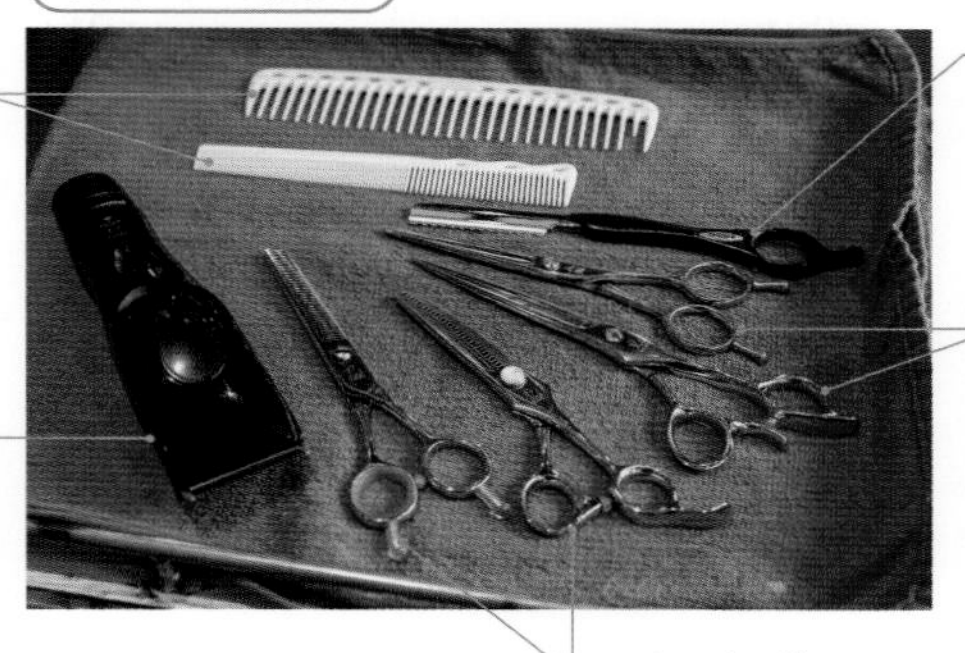

カットコーム
髪を分けたり持ち上げたりするのに使うくし。目のあらさにちがいがある。

クリッパー
髪の毛をかりこむ道具。バリカンとも呼ばれる。かり上げや丸がりにするときに使う。

カットレザー
髪をそぐようにカットするときに使うかみそり。

シザー
カットに使うはさみ。かりこみ用、仕上げ用など、用途に合わせて大きさの異なるものを使い分ける。

セニング
髪をすくはさみ。すく割合によって種類が分かれている。

ドライヤー
髪を乾かしたりセットしたりするときに使う。

ダッカール
カットなどの際に髪を分けてとめるクリップ。

シェービングの道具

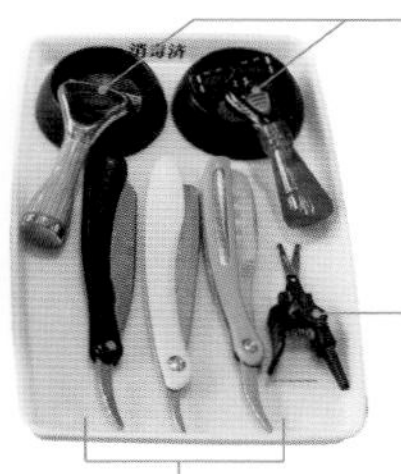

T字かみそり
ひげが濃い場合など、必要に応じて使うかみそり。

鼻毛用ばさみ
鼻毛をカットするはさみ。

シェービングカップ・シェービングブラシ
シェービングソープを泡立てる道具。

レザー
顔そり用の一枚刃のかみそり。

チェック!! はさみの持ち方

はさみは親指と薬指で持ちます。ふつうのはさみは、両方の刃を動かして使いますが、ヘアカットに使うはさみの場合は、親指を入れたほうの刃だけを動かします。こうすることで、刃がぶれずに安定し、まっすぐに切ることができるのです。

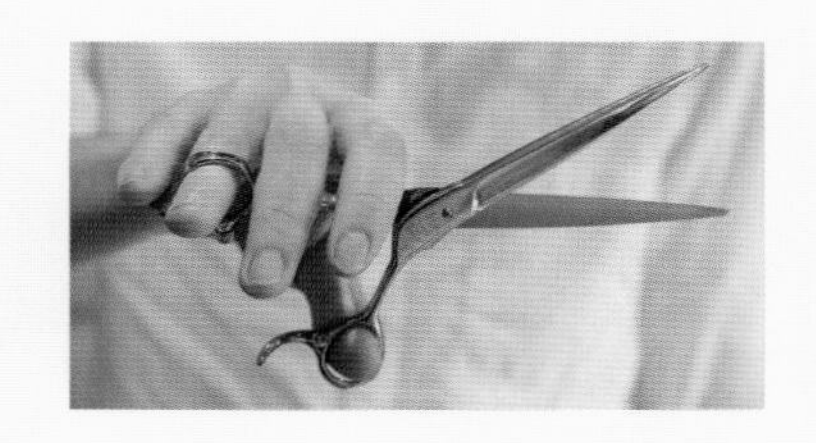

いろいろなヘアスタイルがつくれる！

パーマの道具とテクニック

パーマは、理容師・美容師がバリエーション豊かなヘアスタイルを生み出すために欠かせない技術の一つです。使う道具や基本的なかけ方を紹介します。

薬剤や熱による化学反応で髪の毛にウェーブをかけます

パーマは、正式にはパーマネントウェーブといいます。髪の毛の主成分であるたんぱく質に、薬剤や熱を利用して化学反応を起こし、ウェーブをかける技術です。使う薬剤（パーマ液）の種類や、かけ方の手順によってさまざまな種類があり、仕上がりにもそれぞれ特徴があります。

一般的なパーマのかけ方では、まず、髪の毛をコームで少量とり分け、専用の薄い紙とともにロッドと呼ばれる筒状の道具に巻きつけていきます。この作業を「ワインディング」といいます。ワインディングが完了したら、薬剤をつけて時間を置いたり、さらに熱を加えたりして、ウェーブを固定させます。

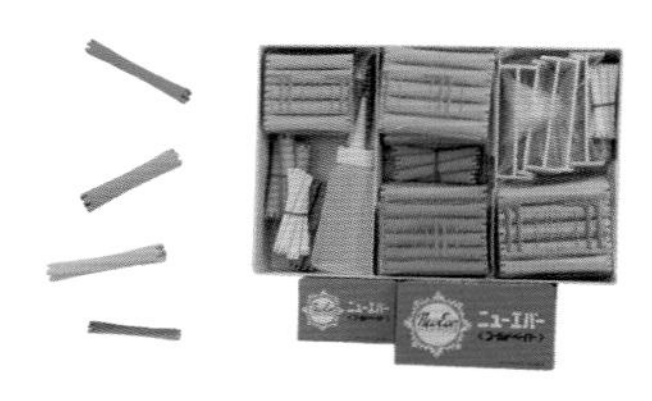

ロッドは、パーマをかけるときに髪の毛を巻きつける道具。いろいろな太さのものがあり、ウェーブの大きさや強さによって使い分けます。

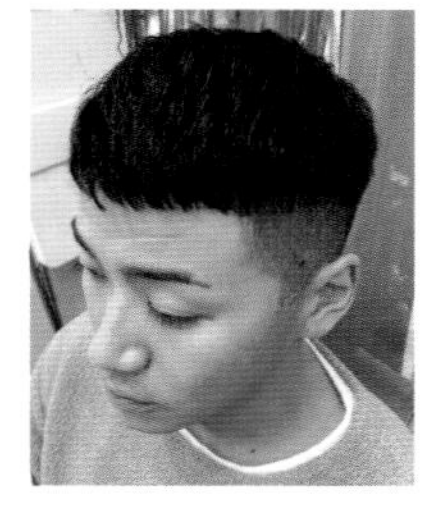

アイロンパーマでは、使うアイロンの太さによって、くせ毛風の自然なパーマスタイルをつくることも可能です。

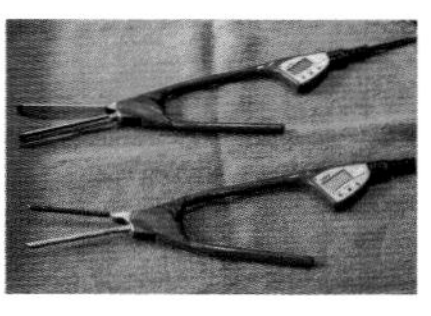

おもに理容室で使われる、アイロンパーマ用のアイロン。いろいろな太さや形状のものがあります。

「アイロンパーマ」など、ロッドを巻かずにかけるパーマも

理容室で行うパーマには、「アイロンパーマ」という種類があります。ロッドを巻かず、髪に薬剤をぬったあと、専用のアイロンの熱を使ってパーマをかけていく方法です。短い髪でもパーマがかけられ、短時間でできるとの理由で、特に男性に人気があります。

また、美容師試験に出題される「オールウェーブセッティング」も、ロッドを巻かないパーマのやり方です。髪全体に専用のローションをぬって、コームと指で形を整え、ピンでとめて仕上げていきます。

Part 1

理容師・美容師の一日を見て！ 知ろう！

理容室や美容室でスタイリストとして働く、
理容師・美容師、
それぞれの一日に密着！

理容室で働く理容師の一日

取材に協力してくれた理容師

髙橋 竜矢さん（26歳）
Cooya -new hair-
スタイリスト

Q どうして理容師になったのですか？

両親が理容師で、幼いころから髪を切ってもらっていました。おしゃれでかっこいいヘアスタイルにしてくれるのがうれしかったことを覚えています。そんな親の働く姿を見て、理容師という職業をとても身近に感じていたことから、自然と自分も理容師を目指しました。理容学校を卒業してから、ずっと今のサロンで働いています。

Q この仕事のおもしろいところは？

いろいろな職業や年代の人と出会えることです。小さな子どもでも、会社の社長でも、みんなが髪を切りますから、それぞれのお客さんに合った接し方や会話の内容を考えることも大切だと思っています。常に新しいヘアスタイルや技術を研究して、仕事にとり入れられるところもおもしろいです。

ある一日のスケジュール

9:20 出勤、開店準備
▼
10:00 開店
▼
施術開始
▼
13:00 昼食、午後の業務
▼
20:00 閉店

9:20

出勤、開店準備

出勤してから
まず何をするの？

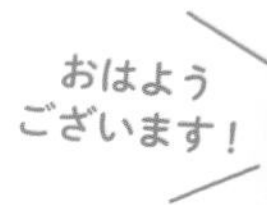

この理容室では、シェービング（20ページ）をするお客さんが多いため、1日に70～80枚ものタオルを使用。タオルの洗濯も毎日の業務です。

ネット予約の確認をし、一日の業務の見通しを立てます

お店がオープンする30～40分前に出勤して、開店の準備をします。床のそうじとタオルの洗濯は前日に済ませているので、朝は干してあるタオルをたたんで棚にしまい、鏡をふいてきれいにしたり、店内の消毒をしたりして、お客さんをむかえる準備を整えます。特に、いすやドアなどお客さんが直接ふれる場所の消毒は念入りに行い、清潔感と衛生面の両方に気を配っています。

店内の準備を終えたら、インターネットの予約状況を確認し、あらかじめまとめてある予約表と照らし合わせて、一日の業務の流れを確かめます。予約が入っているお客さんのカルテもチェック。カルテには、その人の髪質や髪型、前回来店したときまでの施術内容などが記入してあります。

時間になったら店の外に看板を出して、営業開始です。

10:00

開店

施術は何から始めるの？

第一印象は大切。気持ちよく過ごしてもらえるよう、笑顔でお客さんをむかえます。

全体の軽さはこのくらいでいかがですか？

カウンセリング

タブレット端末を見ながら、画像でヘアスタイルのイメージを共有することも。イメージを聞いたうえで、各部の長さ、軽くするか重めがいいかなど、なるべく多くの希望を聞き出します。

お客さんの要望を聞き出すカウンセリングから

開店すると、早速お客さんが来店。受付で上着や荷物を預かったら、席に案内して施術（理容・美容の技術をほどこすこと）を開始します。まずはカウンセリングからです。

カウンセリングとは、ヘアスタイルのイメージ、髪について気になることなど、お客さんの希望を聞き出すこと。男性客が多い理容室では、いつもどのくらいのタイミングで髪を切っているかという情報も、ヘアスタイルを決めるうえで重要な要素です。話を聞くだけでなく、実際にさわって、頭の形や髪質、生え方のくせも確認します。

お客さんに満足してもらうためには、カウンセリングでていねいにコミュニケーションをとることが欠かせません。常連のお客さんになると、「いつも通り」「前回より長く」といった簡単な言葉だけで、希望を察することもできるようになります。

シャンプーのやり方は決まっているの？

シャンプーのあとは、頭皮を刺激したり、肩もみをしたりして、リラックスしてもらいます。

シャンプー

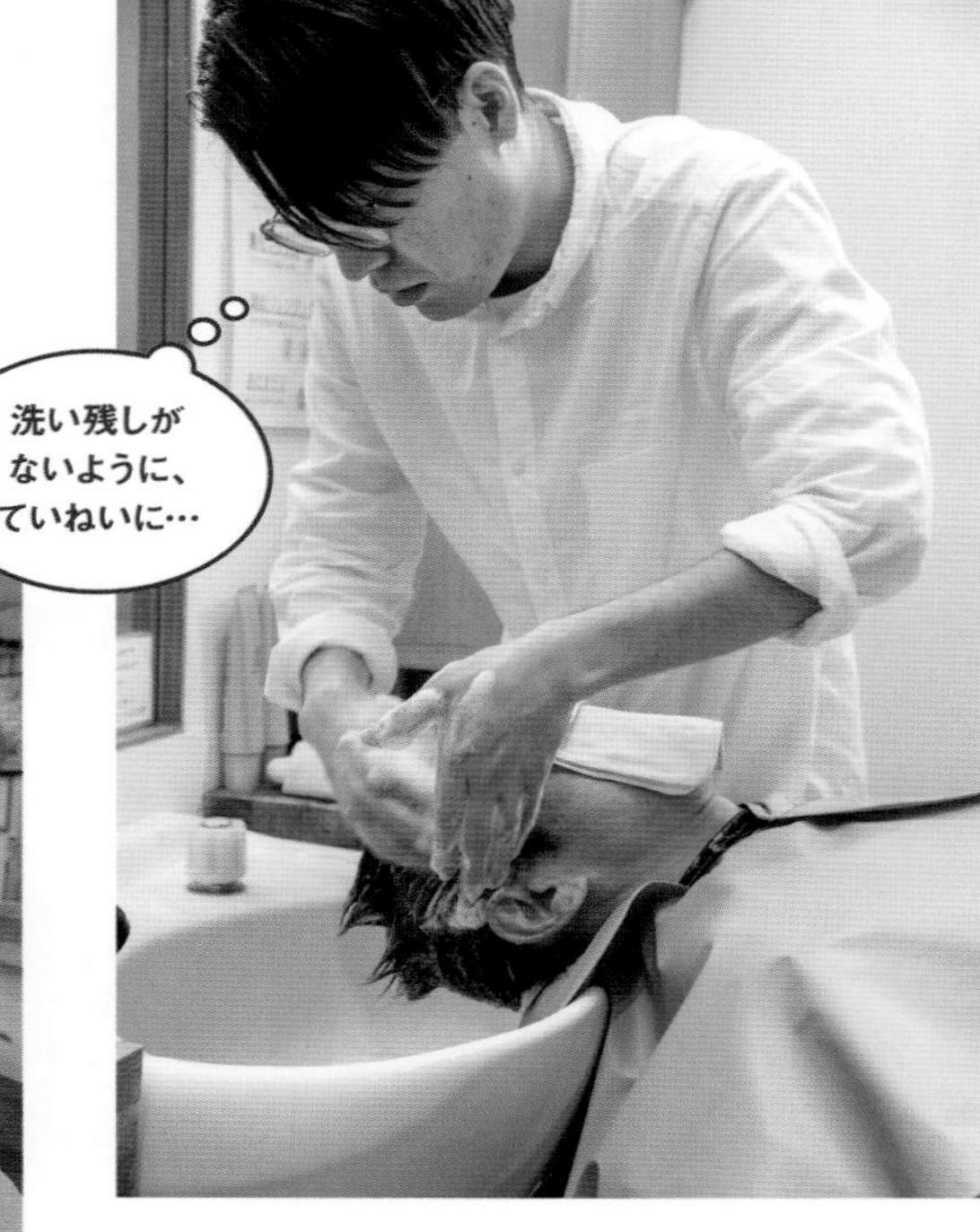

この理容室では、シャンプー台の横に立って行う「サイドシャンプー」という方法で髪を洗います。耳のまわりや生えぎわは、洗い残しがないよう注意が必要な部分です。

決まったやり方はなく、お客さんに合わせてくふうします

カウンセリングを終えたら、次はシャンプーです。髪の毛についた汚れや整髪料を落とすとともに、くせを直して、その人本来の髪の状態を確かめる意味もあります。

シャンプーの手順は、毎回同じやり方というわけではなく、お客さんの頭の形や好みの強さに合わせて、洗い残しがないように行います。どのように手を動かせば心地よいかを想像しながら、指の当たり具合やこする速度を意識して、手を動かしていきます。

シャンプーは簡単そうに見えて意外に難しいもの。お客さんに「気持ちよかったよ」と言ってもらえるまでには、それなりの経験が必要です。

シャンプーのあとは、髪がぬれた状態でカットの施術に入ります。理容室の席は、シャンプーからカットまで、移動せずにできるつくりになっていることが多いようです。

カット

くしを当てて大きなはさみを使い、えり足をかりこんでいきます。

毛先の部分などは、小さめのはさみで細かく調整。

もう少し短くしたほうがよさそうだな

同じヘアスタイルを仕上げるにも、カットの仕方は理容師によってそれぞれ。よりよい仕上がりを目指して、使うはさみを考え、使い分けています。

？ はさみを何種類も使うのはなぜ？

カットの細かさや、切る髪の毛の量などで使い分けています

カット用のはさみは、用途に合わせて4～5本使用します。かりこみやかり上げをする際は、力が入りやすい大きなはさみを使い、細かい部分や仕上げには、小さめのはさみで調節しながら切ります。

これらのはさみとは別に、「セニング」と呼ばれるすきばさみもよく使います。すくことによって髪の毛の量を調整するだけでなく、毛の断面をやわらかく仕上げることができるのです。セニングは、はさんだ髪の毛の何十％程度をすくかによって種類が分かれており、どの部分で、どのはさみを使うかを考えながら切っていきます。

カットでは、お客さんのイメージ通りにすることと同時に、毎日の手入れがしやすいヘアスタイルに仕上げるのが、理容師の腕の見せどころ。最新のファッションやヘアスタイルにも敏感でなくてはなりません。

COLUMN

理容コンテストで技術をみがく

学校や企業が主催するコンテストから「理美容のオリンピック」と呼ばれる世界大会まで

理容師のなかには、自身の技術を確かめ、そして向上させるために、理容コンテストや競技大会に出場する人もいます。

代表的なものは、全国理容生活衛生同業組合連合会が主催する「全国理容競技大会」です。全国各地から理容師が集まり、日本一を目指して競い合います。大会は、いくつかの部門に分かれています。例えば、かり上げを主体とし、男性らしさを強調した「バーバースタイル」と呼ばれる伝統的なヘアスタイル、トレンドをとり入れたカット・パーマスタイル、ヘアカラーを組み合わせたスタイルなどがあります。各部門のテーマに合わせて、ウィッグ（マネキン）または人間のモデルを題材に、制限時間内に施術を行い、その技術を競います。

このほかにも、都道府県別の大会や学校・企業が主催するコンテストなども数多く開催されています。そして、国内の大会で優秀な成績をおさめ、日本代表に選ばれた理容師・美容師たちは、「世界理美容技術選手権大会」に出場。この大会は、1947年にフランス・パリで第1回が開催されて以降、「理美容のオリンピック」として知られている、世界最大規模の大会です。

コンテストに向けて練習を重ね、自分の技術とセンスを表現することは、日々の仕事のはげみにもなります。

コンテストでは、緊張感のなか、決められた時間内にすべての工程を終えなければならない難しさもあります。

シェービング

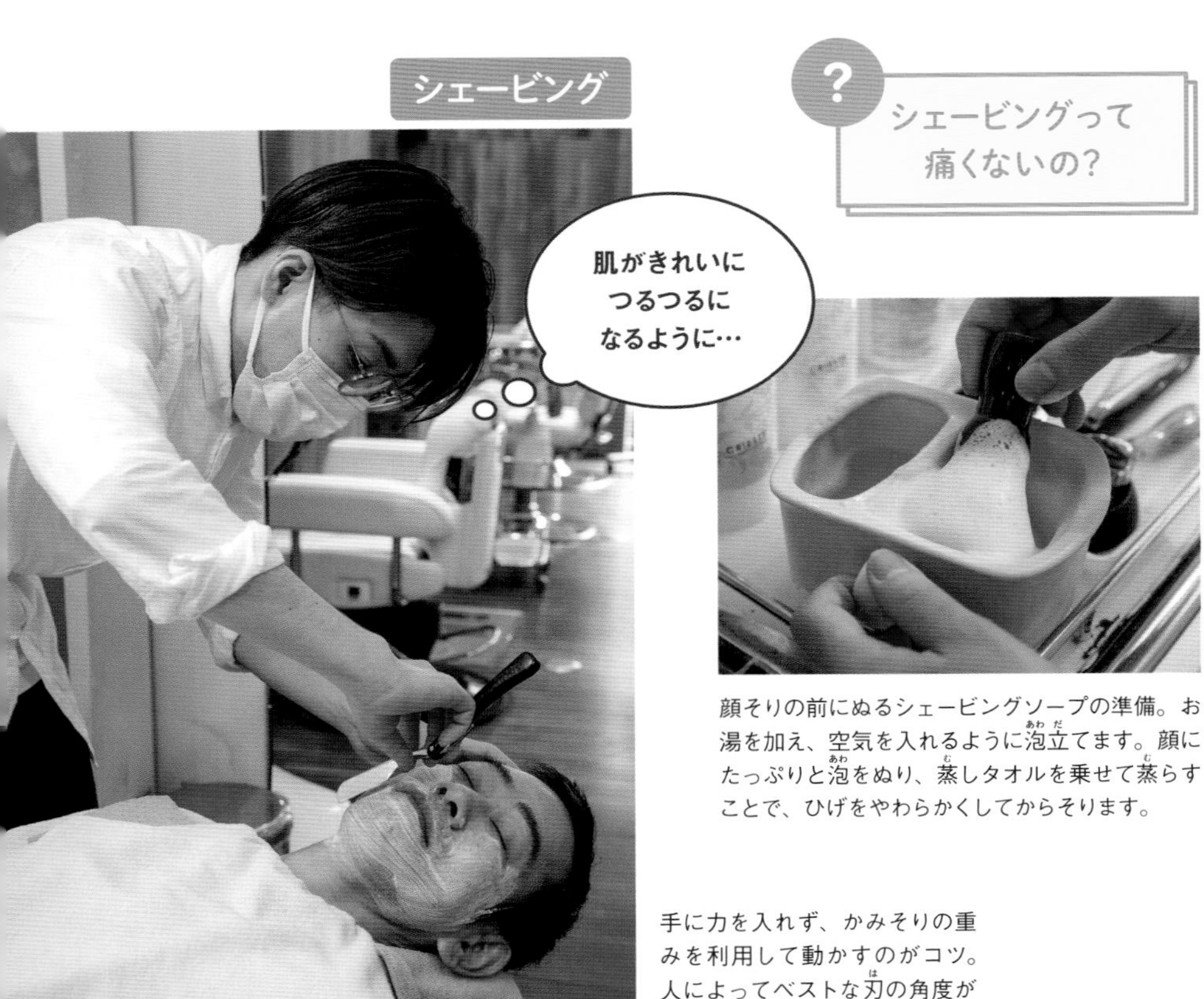

シェービングって痛くないの？

顔そりの前にぬるシェービングソープの準備。お湯を加え、空気を入れるように泡立てます。顔にたっぷりと泡をぬり、蒸しタオルを乗せて蒸らすことで、ひげをやわらかくしてからそります。

手に力を入れず、かみそりの重みを利用して動かすのがコツ。人によってベストな刃の角度があるので、その感覚をつかむことが大切です。

技術を有する理容師の腕にかかれば、快適なものです

理容師の業務には、美容師と共通する内容も多いですが、シェービング（顔そり）は理容師にしかできません（64〜65ページ）。

シェービングは、かみそりという刃物を使う施術。肌を傷つける危険性もあるため、確かな技術を身につけた人だけに許される行為なのです。理容師は、安全と衛生に気を配り、慎重に施術を行っています。

かみそりを肌に当てると聞くと、痛そうに思うかもしれません。しかし、理容師の高い技術をもってすれば、実際は痛いどころか快適なもの。シェービングを目当てに理容室を訪れる人も少なくありません。

シェービングは、男性向けのサービスというイメージがありますが、最近は女性客も増えています。うぶ毛をそり、肌をきれいに整える女性専用のシェービングサロンもあり、そこでも多くの理容師が活躍しています。

一日に何人くらいのお客さんを担当するの？

スタイリング

乾かしながら、髪の毛を手で持ち上げるようにするとボリュームが出やすいですよ

仕上げの際には、乾かし方やスタイリングのコツなど、日ごろの手入れのポイントも伝えます。施術中の会話から、その人に合ったヘアスタイルを提案するヒントが得られることもあります。

時間配分を意識しながら、1人で10人前後を担当

理容師が5人以上在籍する大きな店もありますが、理容室のほとんどが個人経営の店です。この理容室も個人経営で、日によって2人もしくは3人の理容師が勤務しています。1人の理容師が一日に担当するのは平均して10人前後。土日や年末は特にいそがしくなりますが、そんなときこそ、ミスのないよう落ち着いて、かつ、お客さんを待たせないよう、常に時間を意識し、周りの状況を見ながら業務にあたっています。

お客さん1人にかかる時間は、カットから仕上げまでで1時間、シェービングも加えると1時間半程度。最初にシャンプーをしてからカット、シェービングを行い、再度シャンプー、最後に髪を乾かしてスタイリングという手順です。リラックスして過ごしてもらえるよう、お客さんのようすを見て、話しかけるタイミングや内容にも注意をはらっています。

13:00

昼食、午後の業務

お客さんがいないときは何をしているの？

この前撮らせてもらった写真をSNSにアップしよう

SNSは、店のPRのためにも役立つツールです。

自分の店を選んで来てくれるお客さんに、感謝の気持ちをこめて、ていねいに案内状を書きます。

タイミングを見て昼食や休憩。お客さんに案内状を書くことも

お客さんがいない時間帯には、タイミングを見計らって店の裏で昼食や休憩をとります。決まった時間にとれるわけではありませんが、接客を優先する以上はやむを得ないことで、それも理容師の仕事の特徴といえるでしょう。

休憩中はＳＮＳで話題のヘアスタイルをチェックしたり、理容・美容業界の専門誌を見て、新しいヘアスタイルを研究したりすることも。ふだん街を歩いているときも、おしゃれな服装や髪型の人を観察したりと、常にアンテナを張っています。

午後の業務も午前中と同じように、来店客に合わせて続きます。集客のために、常連客やしばらく来店のない人にあてて案内状を書くのもだいじな仕事。お客さんがいない時間は、こうした作業や、手の届きにくい細かい場所のそうじなどにもあてています。

20:00 閉店

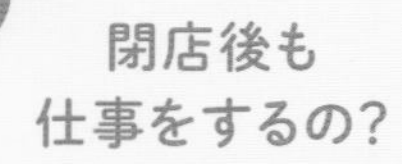

閉店後も仕事をするの?

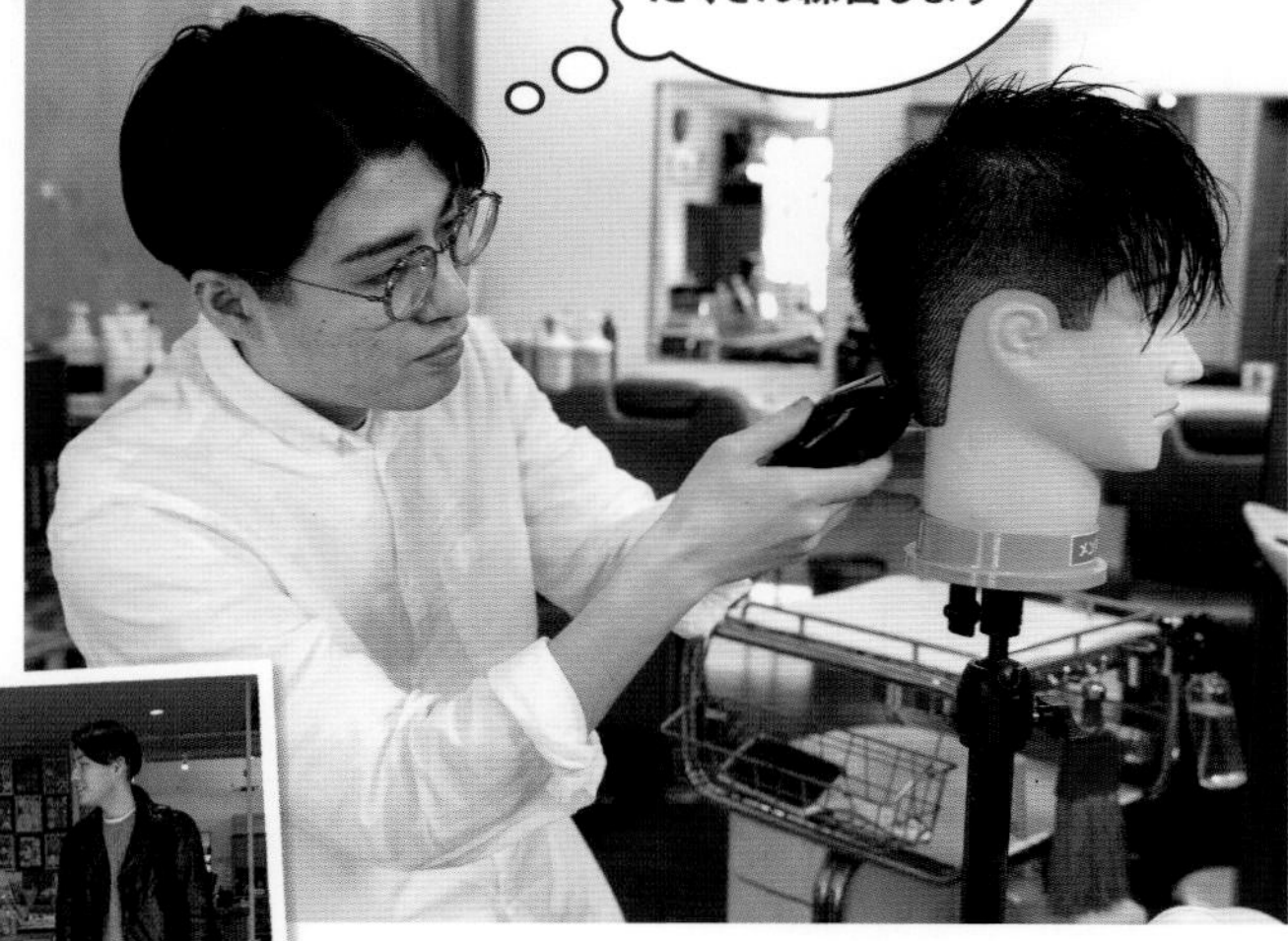

もっとかり上げがうまくなるように、たくさん練習しよう

おつかれさまでした!

閉店後は、ウィッグを使ったり、モデルに来てもらったりしてカットの練習。日々、技術をみがいています。理容コンテスト(19ページ)に向けた練習をすることも。

練習で自身の技術を向上させる努力をおこたりません

最終受付のお客さんの施術が終われば閉店です。器具の片づけや床のそうじ、洗濯を終えた大量のタオル干しをスタッフで手分けして済ませます。翌日の予約状況を確認し、カルテを出すところまで準備ができたら、一日の業務は終了です。

若手の理容師たちは、この時間から練習をスタート。アシスタント(29ページ)はもちろん、一人前のスタイリストになってからも、ウィッグで新しいヘアスタイルを試したり、モデルを呼んで練習したり、先輩からのアドバイスを受けたりして、技術を向上させます。

髙橋さんは、毎日の仕事の終わりに、その日あったよかったことや反省点をノートに書きとめて、ふり返っているそうです。自身の技術を高めるためにも、お客さんや周りの人への感謝の気持ちを忘れず、地道な努力を続けています。

美容室で働く美容師の一日

取材に協力してくれた美容師

東 彩香さん（27歳）
naf hair & eyelash
スタイリスト

Q どうして美容師になったのですか？

幼いころ、いつもかわいい髪型にしてくれる近所の美容師さんにあこがれていました。あのときのうれしかった気持ちを、今度は自分がたくさんの人に伝えたくて、美容師という職業を選びました。「手に職をつけたい」という願いもかない、ここまで続けてこられたのは、やはり自分に合った仕事なのだと思っています。

Q この仕事のおもしろいところは？

提案したヘアスタイルや提供した技術を喜んでもらえることに、やりがいを感じます。お客さんの希望は一人ひとりちがうので、どこをどのようにしたら実現できるか考えながら施術するのが、この仕事のおもしろいところです。考えたことがうまくいくたびに達成感があります。奥が深い仕事です。

ある一日のスケジュール

9:00 出勤、ミーティング
▼
9:15 開店準備
▼
9:30 開店
▼
施術開始
▼
12:00 昼食、休憩など
▼
13:00 午後の業務
▼
19:00 閉店

出勤、ミーティング

？ 一日のスタートは何から始めるの？

きょうも一日がんばるぞ！
きょうからシャンプー剤の種類が変わります

ミーティングでは、シャンプー剤やスタイリング剤など、施術に使用する商品の仕入れ状況や使い方も確認します。

自身の身だしなみを整え、ミーティングで情報を共有

美容師の仕事は「容姿を美しくすること」。カット、カラー、パーマの施術は理容師と共通の業務ですが、ヘアセットやメイク、まつ毛エクステンションは美容師にしかできない業務です（64〜65ページ）。

朝、出勤したら、まず鏡の前に座って自分の髪をセットします。美容師は一日中鏡の前に立つ仕事。お客さんに見られることを意識し、よい印象を与えられるよう、服装や髪型に気を配ります。特に髪型は、「すてきなヘアスタイルだな」「私もあんなふうにしたい」と思ってもらえるように心がけています。

各自の身だしなみが整ったら、あいさつをして、朝のミーティングを開始。当日の予約状況のほか、来店予定のお客さんのなかに、子ども連れや車いす利用者といった配慮が必要な人がいる場合の対応など、必要な情報を共有します。

9:15

開店準備

? 予約はどうやって管理しているの？

美容室は、店内を常に清潔に保たなければなりません。開店前や閉店後のそうじは念入りに。

きょうは15時以降いそがしくなりそうだな…

電話で当日予約が入ることもしばしば。経験を重ねていくうちに、急な予約にも臨機応変に対応できるようになります。

パソコンの予約管理システムと紙の予約台帳で管理

予約はインターネットと電話で受け付けています。来店したお客さんから直接、次回の予約を受けることもあります。予約状況は、パソコンの予約管理システムと、すぐに見られる紙の予約台帳で管理し、スタッフ全員で共有しています。

この美容室には、多いときで30人以上のお客さんが来店。スタイリスト3人、アシスタント2人で対応します。予約状況を確認し、一日の動きをイメージしておくことも大切です。お客さんが多い日は、自分の担当だけなく、全体の施術の進み具合にも目を配り、次に何をすればよいかを考えて、なるべくお客さんを待たせないように行動します。

開店までに、店内の清掃を済ませ、午前中のお客さんのカルテを見てクロス(※)やタオルを出すなど、あらかじめできることを準備しておきます。

※クロス：施術中にお客さんの体を覆って汚れないようにする布。ケープともいう。

9:30 開店

カウンセリングでだいじなことは？

カウンセリング

前髪があったほうがお顔の形がきれいに見えますね

その人の顔立ちに合わせた提案ができるようカウンセリングします。

シャンプー

バックシャンプーは、お客さんの背中側から洗うスタイル。座って施術する場合は、美容師の腰への負担が少なくて済みますが、力を入れにくいという難しさもあります。

いちばん初めに返ってくるお客さんの言葉に注目

カウンセリングでは、髪の悩みや、なりたいイメージなどを聞きます。「きょうはどんなスタイルにしたいですか」「気になるところはありますか」と質問したときに、最初に返ってくる言葉が、お客さんがいちばん気になっていること。その内容をよく確認したうえで、お客さんがなりたいイメージに近づけるよう、その人の頭の形や顔立ちに似合うヘアスタイルを提案します。

カウンセリングが終わったら、ほとんどの人はシャンプーから始めます。シャンプーは頭の形に合わせて手を動かすことを意識します。手をまっすぐ動かすだけでは、お客さんの頭が動いてしまってうまくいきません。頭の丸みに合わせて、頭皮をもむように洗うと、頭が動かず、しっかり洗えます。この美容室では、「バックシャンプー」という方法で洗っています。

? カットにはいろいろなやり方があるの？

カット

最初に長さを整えて、お顔周りは特に慎重に…

はさみを横に入れたり、縦に入れたりしてカットしていきます。お客さんの髪と鏡を交互に見ながら、バランスを整えていきます。

水平に切ったり、はさみを縦にしてぼかしを入れたりします

髪の長さを調節するはさみと、髪をすいて量を調節するはさみ（セニング）を、4〜5本使い分けながらカットします。初めにはさみを横にして長さを調節し、あとからセニングで整える方法が一般的ですが、はさみを変えるタイミングや細かい調整の仕方などは、人それぞれです。また、カットした髪のラインがぴったりそろっていると不自然に見えてしまうので、自然な雰囲気に仕上がるよう、ラインをなじませていくときにも、はさみを縦に入れます。これを、カットラインに「ぼかしを入れる」といいます。

カットでは、鏡に映る姿、つまり前から見たときのバランスを重視しています。人から見られることが多いななめ後ろも、特に意識する角度です。はさみを入れるごとに鏡を見て、少しずつ長さや形を整え、お客さんの望むヘアスタイルに仕上げていきます。

アシスタントの仕事は？

美容師も理容師も、最初はアシスタントからスタート！ スタイリストの施術を手伝いながら、仕事を覚えていきます

美容師免許を取得し、美容室に就職しても、すぐにお客さんに施術ができるわけではありません。どの店でもたいてい、最初はアシスタントとして働くことになります。理容師も同じです。期間は店によってもちがいますが、平均して3年以上といわれています。

アシスタントの仕事は、基本的にはスタイリストの業務の補助です。施術の準備やお客さんの案内、店のそうじ、商品の補充などをしながら、仕事を覚えていくのです。また、店内のようすを観察し、お客さんに気を配ることも、アシスタントのだいじな役目といえるでしょう。

施術に関しては、まずはシャンプーの練習から始めますが、シャンプーだけでもその技術を確かめるためのテストがあり、合格しなければお客さんに施術することはできません。同じように、カラー、パーマ、ブローなどもそれぞれ練習を重ね、個別のテストに合格して初めて、スタイリストの手伝いとしてお客さんへの施術ができるようになるのです。ただし、カットだけは、スタイリストになるまで、できません。

練習をするのは開店前や閉店後。通常業務に加え、テストと練習の日々は、非常にいそがしく、なかには、つらくてやめてしまう人もいます。美容師にとって、もっとも大変な時期かもしれません。

アシスタントは、スタイリストがスムーズに施術できるように、使う道具を用意するなどして補助します。手が空いたときは、こまめにそうじをします。

ヘッドスパって、どんなことをするの？

ヘッドスパ

ふつうのシャンプーに使うものとはちがう、ヘッドスパ用シャンプーを使用。髪や頭皮をケアする成分などが配合されています。

日ごろの疲れがとれるように心をこめて…

ヘッドスパにはリラクゼーション効果も期待できるため、楽しみに来店する人も多いそうです。美容師は、お客さんが思わず眠ってしまうほどの心地よい施術ができるよう心がけます。

シャンプーでは落としきれない毛穴の汚れをとり、頭皮をケア

ヘッドスパは、頭皮のベタつきや乾燥などのトラブルを改善したい人向けの施術メニューです。シャンプーでは落としきれない毛穴の汚れをとり、頭皮を刺激することで頭皮の血行をよくして、健康な髪の毛が生えやすい状態にします。一見、トリートメントと似ていますが、トリートメントは髪の毛の保湿や補修を目的にしているという点で、ヘッドスパとは異なります。

ヘッドスパの施術の際は、お客さんに心地よさを感じてもらえるよう、力の入れ方や力の抜き方、リズム感などを意識します。基礎的な施術方法は、美容師養成施設で学べる場合もありますが、店によってあつかう製品や手順がちがうので、美容師になってから技術を身につけていくことが多いようです。このように、美容師になってからも、覚えるべきことはたくさんあります。

？ お客さんとはどんな話をするの？

ブロー
根もとから乾かしてきれいにまとまるように…

ドライヤーの当て方にもプロの技があります。しっかりと乾かし、髪につやが出るようにブローします。

次回もお待ちしていますね

施術を終えたら、会計をしたり、次回の予約を受けたりして、お客さんを見送ります。

髪のアドバイスから世間話まで。できるだけ、場の空気を読んで

カットした髪を洗い流し、トリートメントやヘッドスパを終えたら、ぬれた髪を乾かします。ドライヤーの風を当てながら、ブラシを使って髪を乾かすことをブローといいます。ぬれたままの髪の毛は傷みやすいので、頭皮までよく乾かすのです。

施術の合間にお客さんと会話をし、コミュニケーションをとることも美容師の仕事の一つ。髪の乾かし方やスタイリングの仕方、スタイリング剤の提案など、髪に関する話題から、たわいもない世間話まで、お客さんの雰囲気に合わせて対応します。

ヘアセットをする場合は、その人の髪質や顔立ちに合わせて、ボリュームを出したり、すっきりまとめたりと、くふうをこらします。髪を結うときも、ピンできっちりとめるか、ルーズな感じを出すかなど、その時々でいちばんおしゃれなヘアスタイルを提案します。

12:00

昼食、休憩など

休憩はちゃんととれるの？

そろそろ発注したほうがいいかな…

シャンプー剤やスタイリング剤は、何種類か仕入れて、お客さんの好みや髪質に合わせて使い分けられるようにしてあります。

美容師にとって衛生管理はとても重要。はさみは1本1本アルコールで消毒しています。

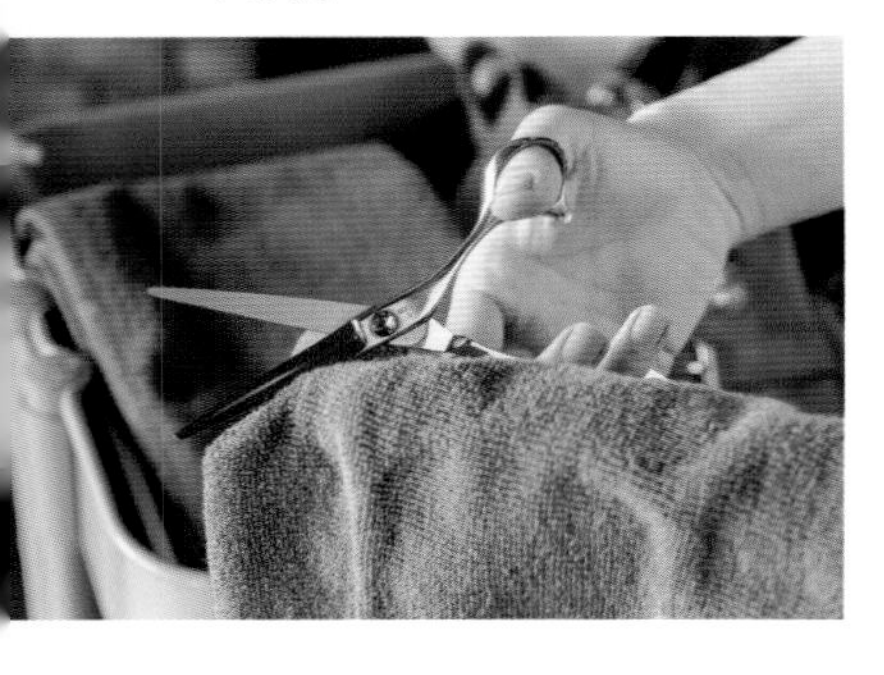

施術や予約の合間に交代で休憩。こま切れになることも

昼食は、手が空いた時間に交代でとります。例えば、カラーの施術中、薬剤をぬったあと浸透するまでの約20分の間にさっと昼食をとったり、予約の合間の10分だけ休憩に入ったりという具合です。こま切れに休憩することになりますが、それにもだんだんと慣れてきます。日によっては、交代で1時間くらい店の外に出られることもあります。

お客さんがいない時間には、店のブログに美容関係の記事を掲載するなど、インターネットを通して情報を発信。より多くの人に店のことを知ってもらえるよう、写真もたくさん載せています。

また、店で使ったり販売したりする商品の在庫を確認したり、容器に詰めかえたりすることも、施術の合間に行う業務です。器具の手入れもこまめに行います。特に、はさみは消毒して清潔に保っています。

COLUMN

特別な日をむかえる人のヘアメイクも

成人式や七五三など、特別な日のスタイルはひときわ華やかに。服装とのバランスを考えて、しっかりと整えます

成人式や卒業式、入学式、七五三など、人生の節目にあたる日のヘアメイクを担当するのも美容師の仕事です。

例えば、成人式では多くの新成人が振り袖を着ます。当然、そのヘアメイクから着つけまでを式典の前までに済ませておかなければなりません。美容室は大忙しです。美容師は朝早くから出勤し、限られた時間のなかで、最大限の技術を発揮します。結婚式のヘアメイクはホテルや式場内で行うことが多いですが、ここでも美容師が活躍しています。

式典などに参加する人のヘアセットでは、長時間くずれないようにしっかりと固定し、メイクは衣装に合うように濃いめにするなど、全体のバランスを見ながら、美しく整えることを意識します。事前に衣装や希望のヘアスタイルについて打ち合わせをして、当日失敗のないように細心の注意をはらいます。

美容師にとって、着つけの技術は必須ではありませんが、成人式や七五三では着物を着る人が多いため、着つけができると、仕事の幅が広がるでしょう。「着付け技能士」という国家資格や、民間の着つけ師の資格もあります。

このように、美容師の仕事は幅広く、対象年齢や目的もさまざま。お客さんの特別な一日にたずさわることができるのも、美容師の醍醐味かもしれません。

髪をとめるピンやゴムは美容室にありますが、髪飾りは、お客さんが持ちこんだものを使います。事前の打ち合わせのときに見せてもらい、大きさや色合いなどをアドバイスすることも。

13:00

午後の業務

カラー

? カラー剤は何種類くらいあるの?

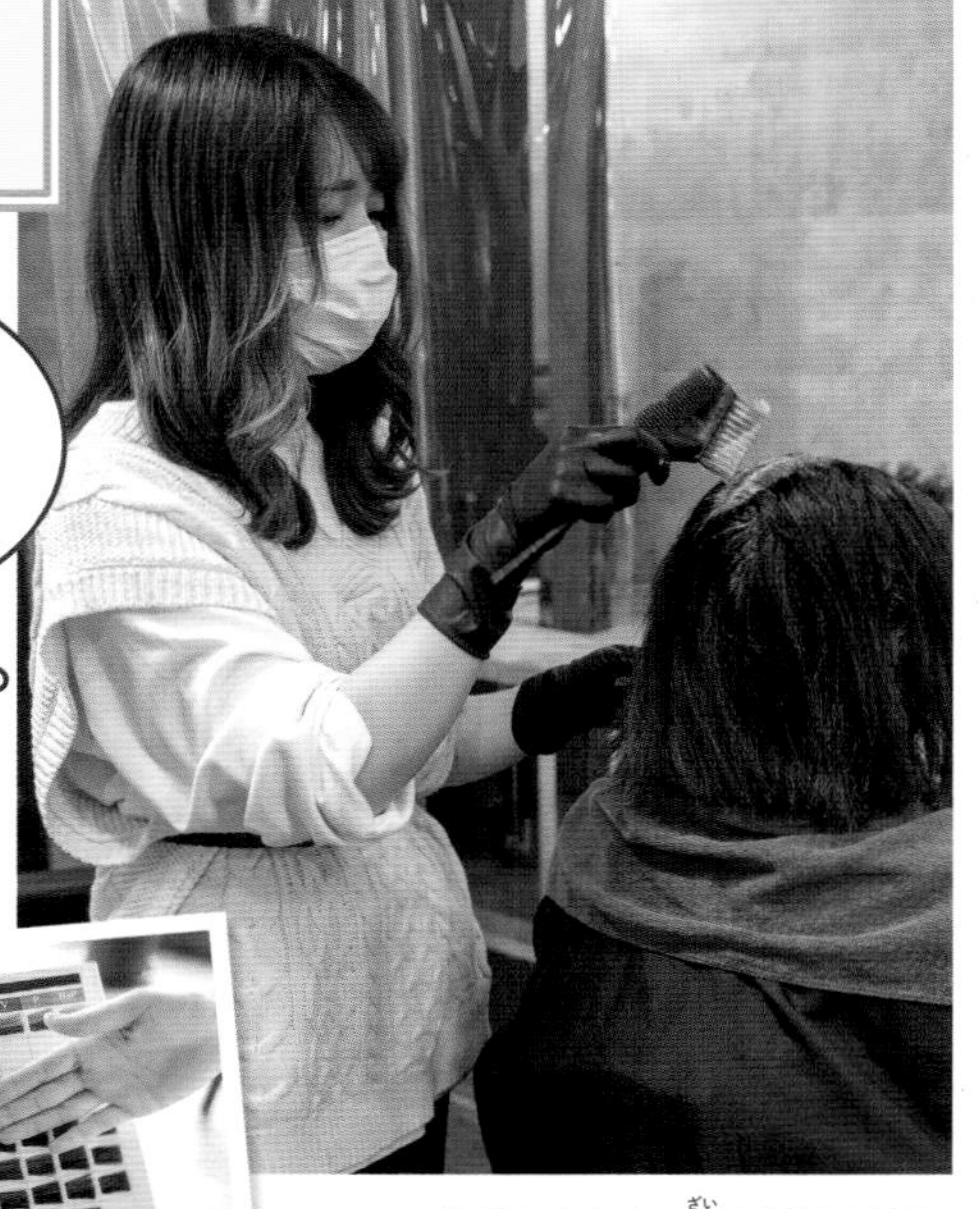

ぬり残しやむらがないようにスピーディに!

髪色の見本となるカラーチャート。これを参考に仕上がりのイメージを共有します。

使用するカラー剤の種類や量は、目的に応じて決めます。例えば、髪色を明るくして印象を変えたい、根もとの白髪が気になるなど、それぞれの要望に合うものを使います。

色と明るさのバリエーションで100種類くらいあります

カラー剤は色の種類が10数種類、明るさのレベルが5~10段階ほど。それらをかけ合わせると、全部で100種類以上の色をつくることが可能です。また、1つのカラー剤は2つの薬剤に分かれており、それらを混ぜ合わせて使用します。

カラーの施術も、まずはお客さんが希望する髪色のイメージを聞くカウンセリングから開始。色のイメージを言葉で伝えるのは難しいため、髪色の見本が並んだカラーチャートを示しながら決めることが多いです。

希望の色が決まったら、その人のもとの髪色や髪質、最近カラーやパーマをしたかどうかなども確認して、最も適したカラー剤を選びます。2つの薬剤を配合する割合や使用量を頭の中で計算するのも美容師の仕事です。効率よくきれいに仕上げるには、どこからぬり始めるのがよいかも考えています。

パーマで難しいのはどんなこと?

時間をおいたら、ロッドを1つ外してパーマのかかり具合をチェック。

ふんわりとした大きめのカールには太めのロッド、しっかりしたカールには細めのロッドと使い分け、パーマ液の種類やつける量も調節しています。

どんなウェーブができるのか、想像力を働かせることが必要

美容師の国家試験では、「ワインディング」「オールウェーブセッティング」と呼ばれるパーマの基本技術が実技試験の課題として出題されます(61ページ)。そのため、学生のころからパーマの練習は欠かせません。

パーマの施術に使う、髪を巻く筒状の道具をロッドといいます。ロッドは3㎜ほどの細いものから2㎝以上のものまで20種類くらいあり、ロッドの太さと巻き方によってカールのかかり具合が変わります。美容師は、お客さんの希望に合わせて、どのロッドを使い、どのくらい巻くと、どんなカールが出るかを想像しながら巻いていきます。

同じ巻き方でも、パーマがかかりやすい髪質とかかりにくい髪質があり、人によって差が出ます。パーマの技術を向上させるには、練習と経験を積んでいくよりほかありません。奥が深い技術といえるでしょう。

19:00

閉店

閉店後は何をしているの?

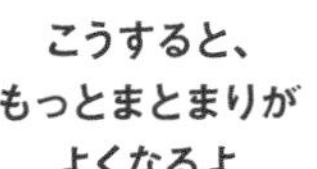

こうすると、
もっとまとまりが
よくなるよ

閉店前や閉店後は、練習で技術をみがく時間。後輩の指導にあたり、スタッフ全体のレベルを向上させるのも大切な仕事です。

おつかれさまでした!

後輩の指導や練習会を通して、スタッフのレベルをアップ

最終受付時刻を過ぎ、施術をすべて終えれば閉店ですが、閉店しても業務が終了したわけではありません。店内の清掃や器具の洗浄・消毒、その日担当したお客さんのカルテの記入、会計の確認などを行います。

スタイリストにとって、後輩の指導もだいじな仕事の一つです。この美容室では、週1回、系列店のスタッフが集まり、約2時間の練習会を実施。スタイリストもアシスタントも、それぞれに目標をもって練習します。「こうしたほうがモデルに近づけるね」「やわらかい質感を出すためには……」など、店長から直接アドバイスをもらい、ふだんの業務にいかしていきます。

美容師の一日は長く、ハードなものですが、お客さんの笑顔や「ありがとう」という言葉が支えとなり、仕事へのやりがいにつながっています。

COLUMN

「まつエク」の施術にも美容師免許が必要

まつ毛エクステンションの施術では、専門的な技術と美容師免許をもつ「アイリスト」が活躍！

近年、まつ毛美容のニーズが高まっています。まつ毛エクステンション（まつエク）とは、専用の接着剤で人工のつけまつ毛をつけ、まつ毛にボリュームをもたせること。また、髪の毛と同様、まつ毛にパーマやカラーをほどこすこともできます。こうした美容サービスを専門に行うアイラッシュサロンも増えています。

以前は無資格者でも施術ができましたが、目の周囲に関する施術であることから健康被害が相次いだため、厚生労働省が対応。2008年の通達により、まつ毛エクステンションなどの施術は、美容師免許が必要な業務となりました。また、サービスを提供するサロンを開設するには、美容所としての届け出が必要です。

まつ毛美容にかかわる職業は「アイリスト」と呼ばれ、美容室やアイラッシュサロンなどで活躍する人も増えてきました。目もとはとてもデリケートな部分なので、接着剤や器具の使用には細心の注意が必要。美容師免許に加えて、専門的な講習を受けてから、アイリストになるケースがほとんどです。

美容業界では、メイク、ネイル、エステ、ブライダルなど、さまざまな分野に専門の職業があります。美容師としての総合的な知識や技術に加えて、興味のある分野の専門性を身につけることで、活躍の場を広げることができるでしょう。

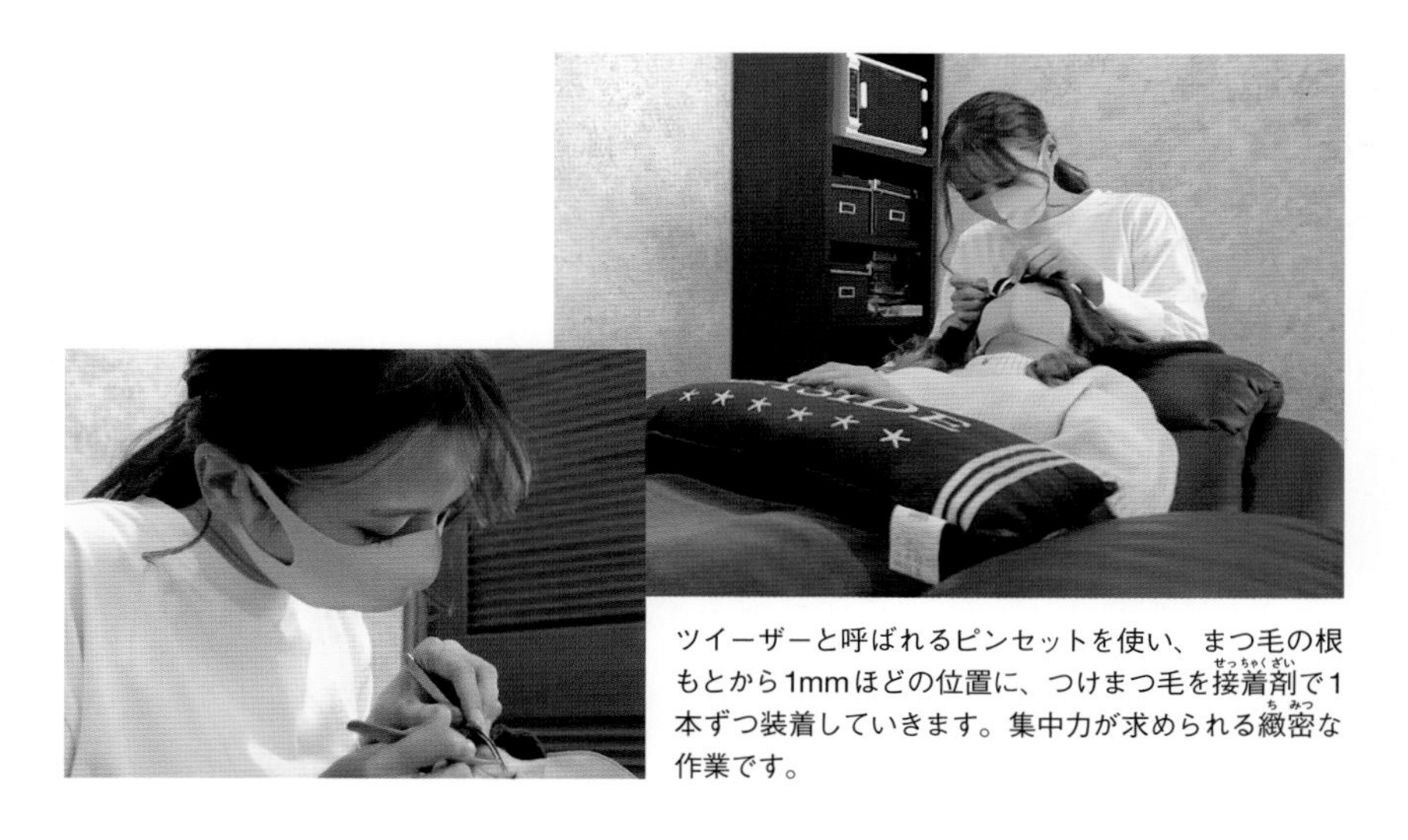

ツイーザーと呼ばれるピンセットを使い、まつ毛の根もとから1mmほどの位置に、つけまつ毛を接着剤で1本ずつ装着していきます。集中力が求められる緻密な作業です。

INTERVIEW 1

ブライダルヘアメイクにたずさわる美容師

春本（はるもと） みゆきさん
与儀（よぎ）美容室
スタイリスト

ヘアメイクの内容は、事前の打ち合わせで本人から希望を聞きながら、衣装（いしょう）に合ったものを考えます。

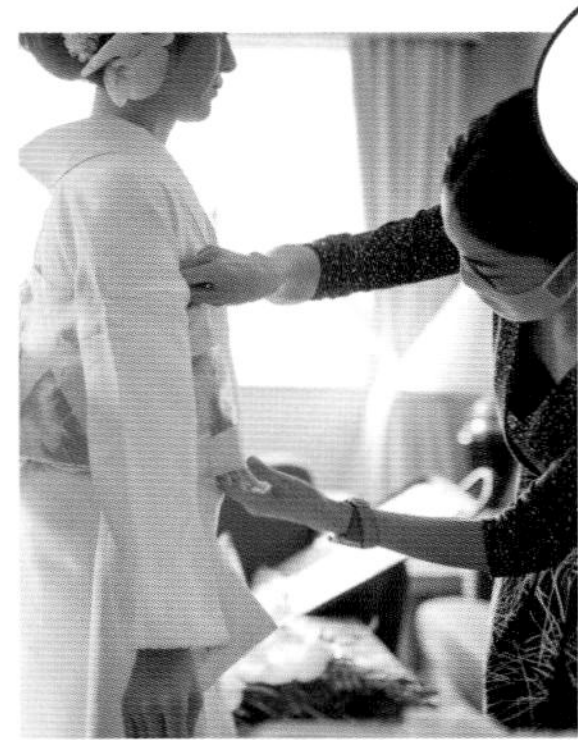

和装の場合は着つけの技術も必要。一日中着ていても苦しくなく、着くずれないようにすることが大切です。

美しさとくずれにくさのバランスが重要。ちょっとした位置の変化で印象が変わるので、細かく注意して美しい姿をつくります。

Q1 どんな仕事をしているのですか？

私が勤務する美容室はホテルの中にあり、通常の美容室と同様の業務のほかに、記念写真や結婚式などに参加するためのヘアセット、メイク、着つけといったブライダルヘアメイク＊に多くたずさわっています。ブライダルの仕事は毎週末あり、花嫁のヘアメイク、ドレスのフィッティング、着つけだけでなく、介添人（アテンド）としてつきそって身の回りのお手伝いもしています。

また、世界中からやってくるホテルの宿泊客からの予約も多く受けており、ネイルやフェイシャル＊などの要望もたくさんあります。

Q2 おもしろいところややりがいは？

ブライダルの仕事では、一生に一度の大切な一日にたずさわることになります。責任は重大ですが、人生で最も輝くといわれる瞬間を全力でサポートすることに達成感を得られますし、心から喜んでもらえることに非常にやりがいを感じます。ヘアセットやメイクの仕事も多く、幅広く美容の仕事ができることが楽しいです。

また、いろいろな国からのお客さまと接する機会があるので、髪質や肌質のちがいについて大きな発見がありますし、さまざまな知識も増えます。

Q3 なぜこの仕事に就いたのですか？

子どものころから絵や工作が好きで、漠然と作品をつくる仕事に就きたいと考えていました。将来を考えるうちに「身についた技術はだれにもぬすまれない」という言葉に影響を受け、また、当時美容師が人気の職業だったこともあり、美容の専門学校へ進学しました。

目標としていたのはヘアメイクアーティスト（41ページ）でしたが、そのためには美容師として一人前になる必要があったため、まずは美容室で働き始め、経験を重ねました。その後、幅広く美容の技術をいかせる現在の職場に就職しました。

ブライダルヘアメイク

新郎新婦のヘアセットやメイク、着つけなど、結婚式にまつわるヘアメイクの仕事。式の当日のほか、打ち合わせやリハーサル、事前の写真撮影などにも対応する。

フェイシャル

首から上の部位に対して行う美容ケア。フェイシャルエステともいう。化粧品を用いるなど、衛生管理や健康への配慮が求められる業務については、理容師・美容師免許が必要とされている。

INTERVIEW 2

ヘアメイク事務所で働く美容師

中田（なかた） 有美（ゆみ）さん
株式会社オン・ザ・ストマック
ヘアメイク

美容広告の撮影（さつえい）で、モデルのヘアメイクを担当。商品の内容に合わせて、どんなスタイルがよいかを考えます。

テレビの生放送前に出演者のヘアメイクをすることも。時間までに手ぎわよく整えることが大切です。

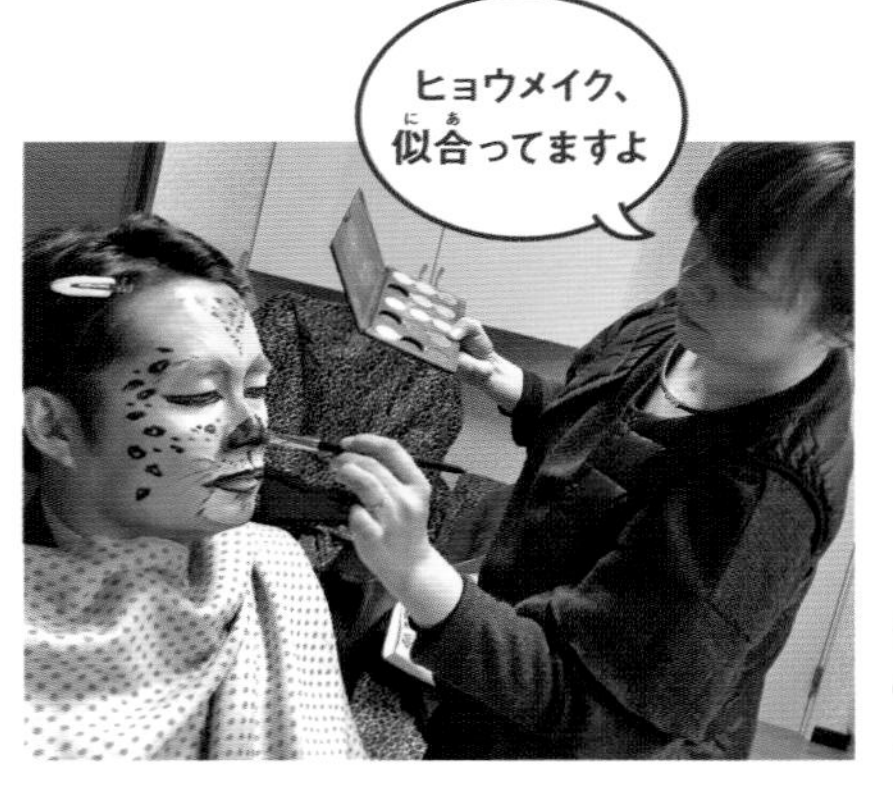

テレビ番組のロケでは、番組の内容やテーマに合ったヘアメイクをします。

Q1 どんな仕事をしているのですか？

ヘアメイク事務所に所属し、テレビの出演者や雑誌などのモデルに、ヘアメイクをしています。一般の美容室では、来店したお客さんを美しくすることが美容師の仕事ですが、私たちは撮影現場に出向き、テーマに合わせて作品をつくるようにヘアメイクをするのが仕事です。美しくするだけでなく、ときには「老けメイク」「ゾンビメイク」など、特殊なヘアメイクをすることもあります。

テレビ番組、広告、雑誌や本など、一つの作品をつくるために、たくさんの人が集まり、コミュニケーションをとりながら仕事を進めています。

Q2 おもしろいところややりがいは？

自分がたずさわったものをテレビや雑誌で目にしたときに、やりがいを感じます。大変なこともありますが、一つの作品をほかのクリエイターの人たちと「こうしてみよう」と話し合いながらつくり、それを喜んでもらえたときや笑ってもらえたときに、この仕事のおもしろさを感じます。そして、「もっと勉強して、次にまたいかそう」と思います。

また、家族の髪をセットしたり、友人の結婚式や七五三といった人生の記念日に参加したりできるのも、この仕事をやっていてよかったと思えることです。

Q3 なぜこの仕事に就いたのですか？

中学生のころから美容に興味があり、いろいろな雑誌などを見て、ヘアメイクの仕事を知りました。その仕事をするには美容師の免許が必要だと知って美容の専門学校に入学。免許取得後、まずは美容室で働き始めました。

ヘアメイクの仕事には、メイクに関する専門的な知識と技術も必要とされるため、美容室で働きながらメイクの学校に通い、メイクの勉強もしました。美容室に5年間勤務後、やっとヘアメイクとしての仕事を始めることができました。華やかに見える仕事ですが、今でも日々努力を続けています。

ヘアメイクアーティストになるには…

ヘアメイクアーティストになるには、基本的には美容師免許が必要です。美容師養成施設でヘアメイクの知識と技術を習得して免許をとり、美容室でのスタイリスト経験を経て、ヘアメイク事務所に所属するか、フリーランスとして活動することになります。

撮影現場のスケジュールに合わせて勤務する不規則な仕事なので、相当な体力も必要です。

INTERVIEW 3

病院内ヘアサロンで働く美容師

上出 幸子さん
アデランス
病院内ヘアサロンこもれび
スタイリスト

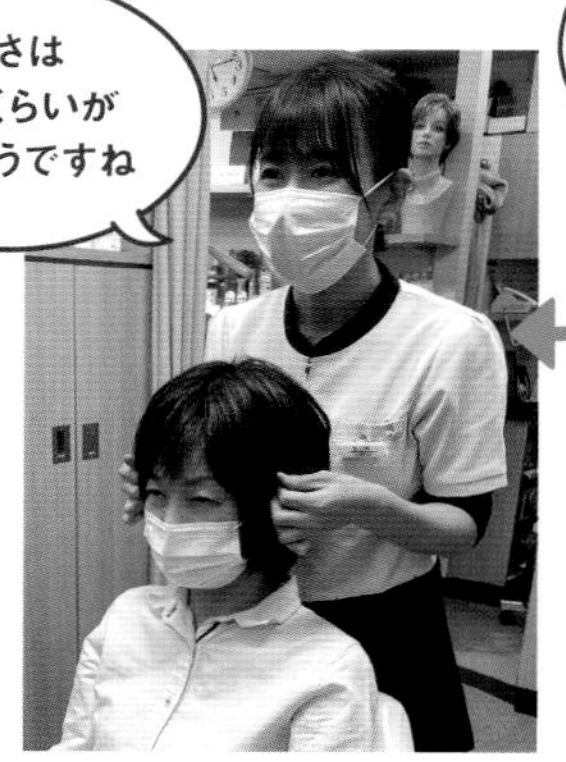

医療用ウィッグは、つけたときに自然に見えるように、一人ひとりに合わせてカット。カットしたウィッグを試着した状態で確認します。

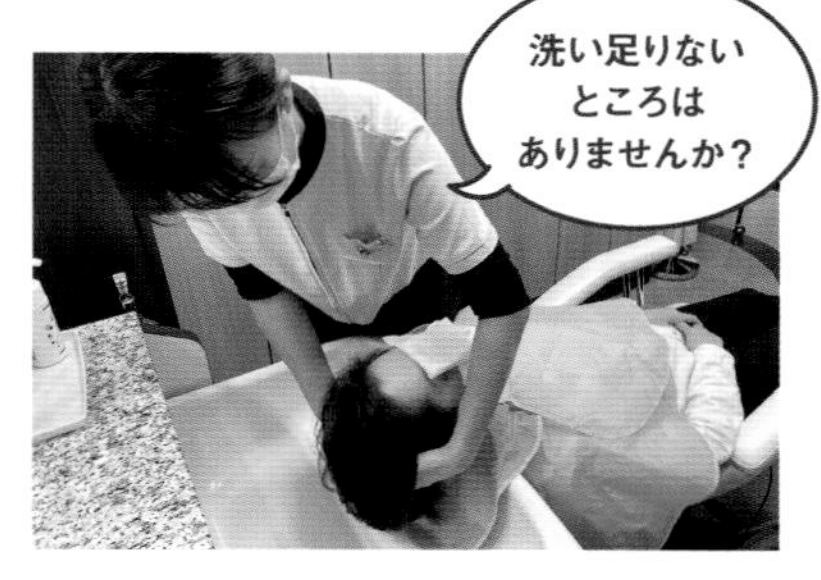

移動式理美容いすなら、移動してもらう必要がなく、座ったままでカットもシャンプーもできるので、お客さんの負担が軽くなります。

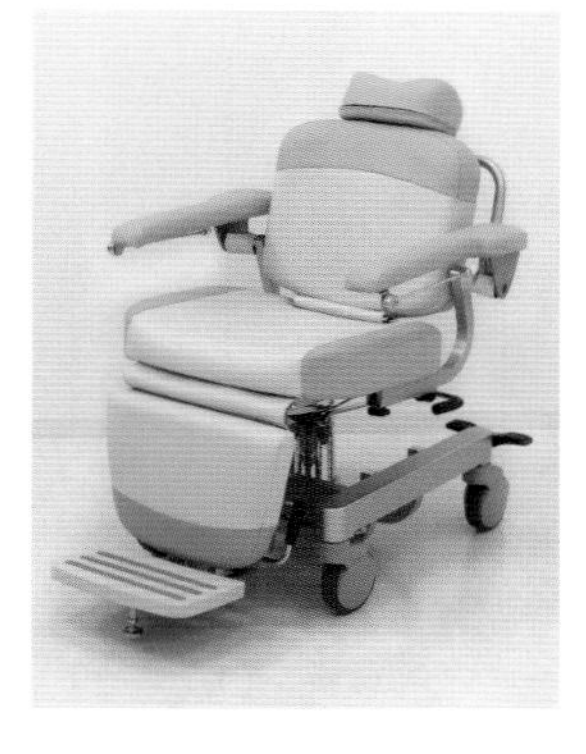

車がついた移動式理美容いす。患者さんがベッドから移乗しやすいつくりになっています。

Q1 どんな仕事をしているのですか?

病院内の美容室で美容師として働いています。カットやシャンプーなど一般的なメニューに加えて、治療による脱毛の悩みや医療用ウィッグ*の相談にも応じ、その人に合った外見ケア*をしています。プライバシーに配慮して個室を用意したり、寝たきりの患者さんには体への負担がかからないように病室まで出張したりして施術します。

病院内の医療スタッフのもとに行って、髪のことで困っている患者さんはいないか話を聞き、連携をとって仕事をしています。また、ヘアドネーション*にも賛同しています。

Q2 おもしろいところややりがいは?

自分の技術一つでいろいろなヘアスタイルをつくることができるのは、美容師の仕事のおもしろいところです。お客さんに喜んでもらえるとうれしい気持ちになります。お客さん一人ひとりの表情やしぐさ、話す内容から、相手の気持ちを理解し、体に負担がかからないよう、いかに早くきれいに仕上げ、満足してもらえるかを日々勉強しています。

「ここに来てよかった」「安心した」「楽しい気持ちにさせてもらえる」と、笑顔で言ってもらえるとき、とてもやりがいを感じます。

Q3 なぜこの仕事に就いたのですか?

小さいころから、人と接することや、ものづくりが好きでした。その得意な分野をいかして、人をきれいにして喜んでもらいたいと思い、美容師を志しました。

初めは一般の美容室に勤務していましたが、そのころから、お客さんの環境の変化や精神的な変化をくみとることを大切にしてきました。そんななか、病気や治療によって体の自由がきかない人、悩みや不安を抱えた人、そしてその家族に対して、自分のもつ美容の技術や知識で心のケアをしたい、笑顔になれるお手伝いがしたいと思うようになり、現在の職場を選びました。

医療用ウィッグ
治療や病気、けがによる脱毛をカバーするためのウィッグ(かつら)。髪を整えることで生活の質を高め、治療を補助するもの。

外見ケア
がん治療による患者さんの外見の変化に対して行うケアのこと。

ヘアドネーション
病気などで髪の毛を失った子どものためのウィッグの材料として、髪の毛を寄付すること。

インタビュー編 いろいろな分野で働く理容師・美容師

INTERVIEW 4

訪問理美容にたずさわる理容師

小山 悠樹さん

株式会社あっとほーむ
理容師
福祉理美容士

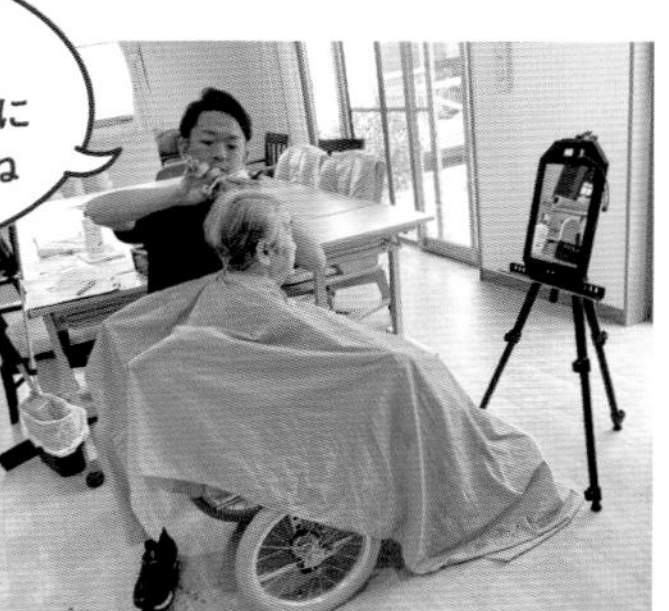

訪問理容でも、サロンでサービスを受けているような気分を味わってもらえるよう、雰囲気づくりをしています。

忘れ物はないかな？

車いすを使っているお客さんも多いので、介助のスキルも必要。

後ろのえりあしもきちんと整えて…

体調の変化がないかなどに注意し、お客さん一人ひとりのようすを見ながら施術します。

Q1 どんな仕事をしているのですか？

老人ホームや病院、お客さんの自宅を訪問し、理容師の仕事をしています。訪問先に一般のサロンのようなスペースはないので、持ち運び用のシャンプー台や鏡などを設置して仮設のサロンをつくり、カットや顔そり、カラー、パーマなどを行います。

自分一人で移動できない人の場合は、部屋までむかえに行って、ベッドから車いすへの移乗を手伝い、施術スペースへ誘導します。ベッドから起き上がれない人には、寝たままカットすることも。こうした介助の基礎を身につけるため、福祉理美容士の認定資格を取得しました。

Q2 おもしろいところややりがいは？

毎日訪問先が変わるので、新鮮な気持ちで仕事をしています。同じ場所へは月に1回訪問することが多いのですが、みなさんに「待っていたよ」と声をかけてもらえるのはうれしいことですし、人生の先輩たちの話は、ためになることもたくさんあります。

なにより、寝たきりの人や人工呼吸器をつけている人への施術は、一般のサロンでは経験できないことです。お客さんに負担をかけることなく、苦しそうな顔をさせずに施術を終えたときは、とてもやりがいを感じます。

Q3 なぜこの仕事に就いたのですか？

両親が理容室を営んでおり、小さいころから父と母の姿を見て育ちました。進路を決める時期に、「ありがとう」と笑顔で帰るお客さんの姿を見て、「理容師もいいな」と思ったのが理容師を目指したきっかけです。当時は軽い気持ちでしたが、結果的には理容師一筋です。

理容の専門学校を卒業後、実家とは別のサロンで働いていたころ、老人ホームへ出張カットに行く機会がありました。おじいさん、おばあさんからの「ありがとう」という言葉や、人のためになっていることに大きなやりがいを感じ、そこから訪問理容の道に進みました。

福祉理美容士とは…

NPO法人日本理美容福祉協会による認定資格で、理容師や美容師としての経験・知識・技能に加え、高齢者や体の不自由な人などへの正しい介助知識や技能を身につけたスペシャリストであることを示すものです。高齢化が進む日本では、訪問による理容・美容のニーズは、今後ますます増えると考えられます。福祉理美容士は、そのようなニーズにこたえるための資格の一つです。

INTERVIEW 5

ヘア商品開発にたずさわる美容師

川﨑 知佳さん

タカラベルモント株式会社
化粧品事業部 化粧品教育部
開発テストサロン

さまざまな状態の毛束に処理を行ったものを検証。一般の人にはわからないほどのわずかな差を見ています。

商品になる前の試作品を実際に使って施術し、開発を進めます。

このカラー剤は、
染まりがすごく
よかったな

施術した結果やチェックした内容などは、大切なデータ。電子カルテに登録します。

開発中の製品を試すテストサロン。美容室と同じようなシャンプー台がいくつも並んでいます。

Q1 どんな仕事をしているのですか？

おもに、理容室や美容室で使用するカラー剤、パーマ液、ヘアケア剤、スタイリング剤などの開発を行っています。社内の研究室でつくられた試作品を、実際に人の地肌や髪の毛に使用し、検証するのがおもな業務です。

一般の理容室や美容室とは異なり、お客さんではなく、開発中の製品を試すことに協力してくれる「モニター」と呼ばれる人たちに施術をします。同じ人の頭の左右で別の試作品を使い、比較して検証するといったテストをくり返して、目指す商品の完成に向けて調整していきます。

Q2 おもしろいところややりがいは？

美容師として働いていたころは、製品の「使い手」でしたが、今は「つくり手」になりました。使う側としての経験があったからこそ、理容師・美容師の視点や求めているもの、使ってみたいと興味をもつものも理解できます。

「つくり手」になったことで、製品ができあがるまでの裏側を知ることができ、美容師の仕事の奥深さや楽しさを実感しています。今後さらに進化していくであろう美容業に関する製品の開発にかかわれる現在の仕事は、とてもやりがいのあるものだと感じています。

Q3 なぜこの仕事に就いたのですか？

もともと髪をさわることやおしゃれが好きなこともあり、小学生のころから自然と「美容師になりたい」という気持ちが芽生えました。

美容師となり、お客さんを美しくすることや、日々進化する製品や技術にふれることは楽しく感じていましたが、あるとき、製品をつくるメーカーの仕事を紹介されました。今までどおり美容師としての技術もいかしながら、理容師・美容師がこれから使いたいと思うような製品を開発できることは、自分のキャリアをいかせるチャンスだと思い、現在の仕事に就きました。

会社で働く美容師とは…

理容師や美容師が使うヘアケア商品を製造・販売する会社には、理容師・美容師の免許をもつ社員がいて、よりよい商品の開発にとり組んでいます。試作品を使って効果を検証したり、使い勝手を確かめたりするには、理容師や美容師の経験が必要です。

また、完成した商品の使用方法を理容師や美容師に教えるインストラクターの仕事にも、理容室・美容室での経験が求められます。

もっと！教えて！理容師・美容師

Q1 理容師・美容師になってよかったなと思うことを教えて！

A 初めてブライダルヘアメイクを担当した花嫁さんからの「一生に一度の大イベントのヘアメイクがあなたでよかった」というお礼の手紙を受けとったときは、本当にうれしかったです。さらに、その後はお子さんの七五三までお手伝いさせてもらいました。人生の記念の日を支えることができる、すばらしい仕事だなと思います。

（30代・女性）

A 担当しているお客さんとのつき合いが長くなってくると、成人式や結婚式など、人生の大切な日のお手伝いができ、お客さんと自分の成長を感じることができます。

あるとき、若いお客さんに「だれにも相談できない気持ちをここでは話せる」と言ってもらえたことがありました。少しでも、その人の心の支えになれたのかなと思えて、うれしかったです。いろいろな人と出会えることが、美容師になってよかったと思うことです。（20代・女性）

Q2 理容師・美容師の仕事で、大変なこと、苦労したことを教えて！

A 最初は、仕事に使う道具を使いこなすにも時間がかかりました。カラー剤やパーマ液などの薬剤は、次々と新しい種類のものが出てくるため、それぞれの特性や使い方を覚えるのに苦労しました。

この仕事は働く時間が長く、ほとんど立ちっぱなしなので、非常に体力を使います。体が慣れるまでは、身体的に負担を感じることもありました。ただ、自分のやりたい仕事をやれているという充実感があったので、それも乗り越えられました。

（20代・男性）

A いちばん苦労したことは手あれです。もともと肌が弱いせいもありますが、シャンプーやブローをくり返し行うために肌が乾燥したり、パーマやカラーの薬剤でかぶれたりと、大変でした。

また、若いころは、お客さんに信頼してもらうまでに時間がかかりました。美容師は接客業なので、お客さんにいかにリラックスしてゆだねてもらえるかが重要です。経験を重ねるうちに、安心して任せてもらえるようになりました。

（30代・女性）

Part 2

目指せ理容師・美容師！
どうやったら
なれるの？

？ 理容師・美容師になるには、どんなルートがあるの？

指定養成施設で学び、国家試験で資格を取得

理容師や美容師は国家資格です。理容師・美容師として働くには、国家試験（理容師試験・美容師試験）を受験して合格し、厚生労働大臣の免許を得る必要があります。

国家試験の受験資格を得るためには、都道府県知事の指定した養成施設の昼間課程や夜間課程で2年以上、または通信課程で3年以上学び、必要な学科・実習を修了しなければなりません。

高等学校卒業後に指定養成施設に進学する場合は、2年制の専門学校の昼間課程に進むのが一般的なルートです。多くの学校が、通信課程をあわせて設けており、仕事をしながら学ぶ人もいます。夜間課程のある学校は多くはありません。また、数はごく少ないですが、理容師・美容師を目指すことができる大学や短期大学もあります。

指定養成施設の入学資格は、基本的には「大学に入学することのできる者」とされていますが、なかには中学校卒業者も入学できるところがあります。そのような指定養成施設を選んで進学すれば、早くから理容・美容に関する専門的な知識や技術を学ぶことも可能です。

中学校卒業者が養成施設に入学するには、養成施設での学習に支障のない程度の学力があることを入学試験で認められる必要があります。さらに、入学後には、専門分野に加えて、高等学校の学習内容の一部を学ばなければなりません。具体的には、専門分野を学ぶために必要な「現代社会」「化学」「保健」の講習を受けることが義務づけられています。中学校卒業者向けに、通信制高校にも並行して在学するなどの方法で、高校卒業資格を得られるコースを設けている学校もあります。

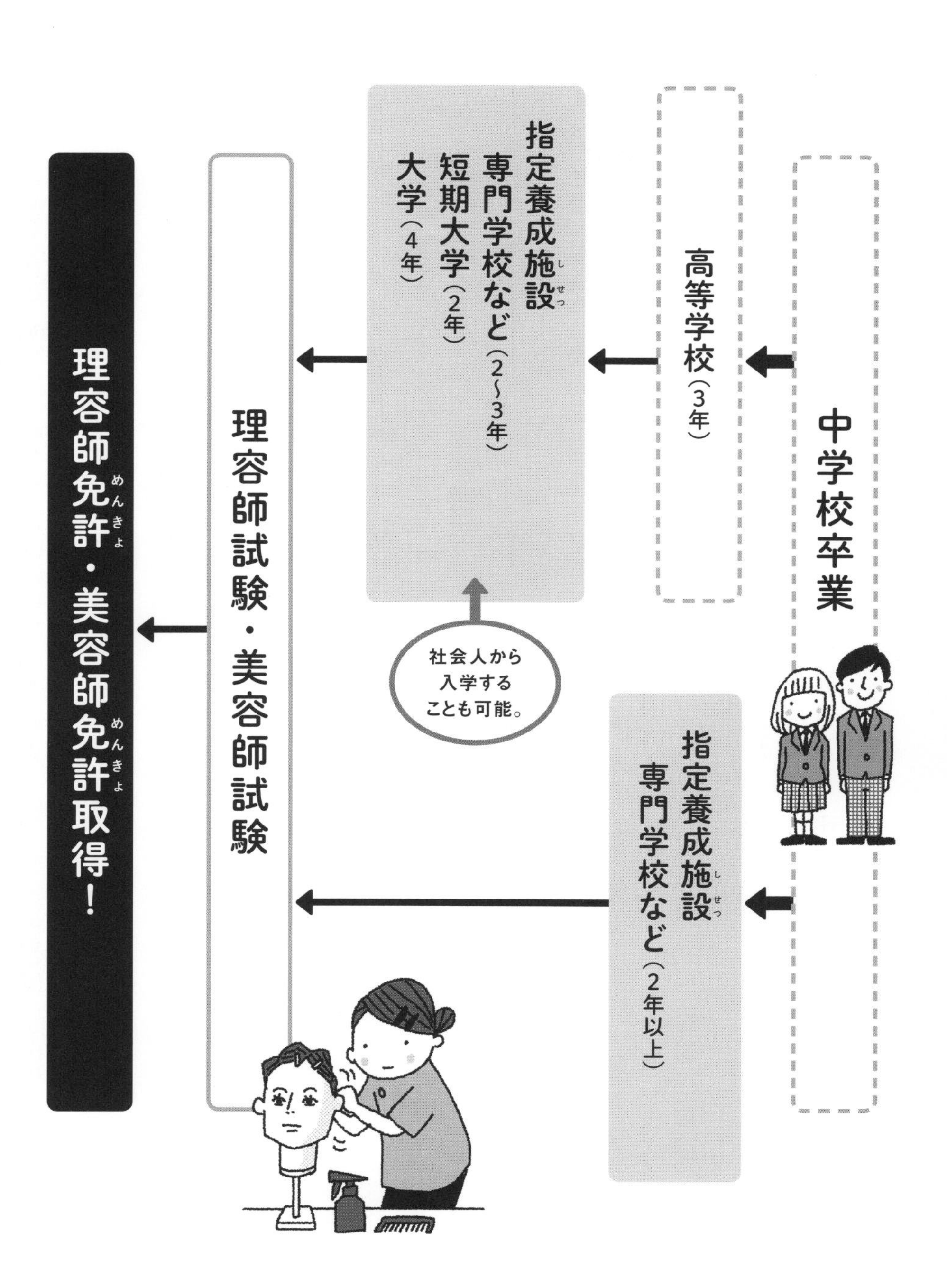
中学校卒業
高等学校（3年）
指定養成施設
専門学校など（2～3年）
短期大学（2年）
大学（4年）
社会人から
入学する
ことも可能。
指定養成施設
専門学校など（2年以上）
理容師試験・美容師試験
理容師免許・美容師免許取得！

いろんな学校があるみたいだけど、ちがいは何？

指定養成施設の数

公益社団法人日本理容美容教育センターホームページ「養成施設一覧」より作成（2021年3月末現在）

理容師養成施設	80校
美容師養成施設	256校
理容・美容の併設校	75校
計	261校

専門分野を集中的に学び、
資格取得を目指す

専門学校など

2～3年

２年以上学校に通って授業を受け、理容師・美容師になるための専門分野を集中的に学びます。

多くは私立の専門学校で、ほかに各種学校や職業能力開発校に分類される養成施設もあります。いずれの施設でも資格取得を目指せますが、卒業によって得られる学歴などに多少ちがいがあります。公立の職業能力開発校も、全国に数校だけあります。

多くが専門学校。昼間課程・夜間課程のほかに、通信課程も

理容師・美容師の指定養成施設は、全国の各都道府県にあります（滋賀県を除く）。理容師養成施設は80校、美容師養成施設は256校。そのうち75校は理容師課程と美容師課程の両方を置いている併設校です（2021年現在）。

養成施設の大半は2年制の専門学校です。昼間課程と夜間課程がありますが、修めなければならない課目数は同じです。

また、多くの養成施設が通信課程を設けています。テキストを用いた通信教育で知識を学ぶとともに、技術などの実習を中心に学校でスクーリング（面接授業）を受け、必要な課目を修めます。

通信教育を利用しながら
自分のペースで学べる

専門学校などの通信課程

3年

通信教育を利用して、理容・美容の知識や技術を3年以上学びます。通信教育では、全国共通の教材を使い、課題を提出して添削指導を受けるなどして勉強します。学校に通って授業を受けるスクーリングは、3年間で600時間以上（理容室・美容室で働きながら学ぶ人は300時間以上）。スクーリングの時期や日程は養成施設によって異なり、夏休みや春休みに行うところが多いようです。

入学の条件として、理容室・美容室で働いていることを求める施設もあります。

専門分野とともに
幅広い知識を学べる

大学 4年
短期大学 2年

理容師・美容師を目指せる大学や短期大学は全国に数校しかありません。大学や短期大学自体が養成施設に指定されているケースのほか、併設の専門学校で専門分野を学ぶ形をとっている場合もあります。

理容・美容の専門分野のほかに、教養科目なども学べるので、幅広い知識を得ることができます。

中学校卒業者をおもな対象とする「高等専修学校」

中学校卒業後の進路としては、高等学校が一般的ですが、「高等専修学校」という学校もあります。工業、農業、医療、衛生など、さまざまな職業教育を行う「専修学校」の一種で、中学校卒業者をおもな対象とする学校です。理容科や美容科のある高等専修学校で学べば、理容師・美容師を目指すことができます。

なかには、専門分野とあわせて、高等学校の学習内容に相当する科目を学び、高等学校卒業と同等の学歴を得られる学校もあります。

理容師・美容師になるための学校って、どんなところ？

理容師・美容師に必要な知識と技術を身につけます

理容師・美容師養成施設の教育内容は、法令によって決められています。どの学校でも必ず学ぶ8つの必修課目のほかに、各養成施設が特色をいかして設定する選択課目があり、それぞれ学ぶべき時間数も決まっています。昼間課程・夜間課程と通信課程では、必修課目は共通ですが、時間数は通信課程のほうが少なく設定されています。

必修課目の内容は、理容師養成施設と美容師養成施設でもほぼ共通です。ただし、具体的な技術を学ぶ「理容・美容技術理論」「理容・美容実習」では、それぞれの仕事に合わせた異なる内容を勉強します。

理容師・美容師養成施設の必修課目

関係法規・制度
理容師法・美容師法を中心に、関係法令を勉強し、理容師・美容師の社会的責任を学び、自覚する。

衛生管理
公衆衛生全般、特に感染症、環境衛生の知識や、消毒の意義、目的、実践方法を身につける。

保健
頭、顔、首を中心に人体の構造、機能について学び、皮膚、毛髪などを科学的に理解する。

香粧品化学
施術の際に使用する香粧品（ヘアケア剤や化粧品など）を正しくあつかうために必要な知識を学ぶ。

文化論
施術で必要な美的感覚と表現力を養い、ヘア・ファッションの歴史を勉強し、ヘアデザインに役立てる。

運営管理
理容室・美容室を経営するうえでの管理手法を学ぶとともに、接客の意義と技術を身につける。

理容・美容技術理論
理容・美容に用いる器具や機械の種類、目的を理解し、その正しい取扱方法を学ぶとともに、基礎的な技術理論を実際に即して身につける。

理容・美容実習
理容師・美容師としての基本的な技術を身につけるとともに、養成施設内や理容室・美容室で実践実習を行い、総合的な技術を学ぶ。

学園祭は学生サロンを出店したり、ヘアショーをしたりと盛り上がります。球技大会や大運動会などのスポーツ行事も。

いろいろなコンテストに挑戦する学生も多くいます。日ごろの授業で身につけた技術を発揮して、実力を試せます。

ある1年のスケジュール

4月	入学式
5月	球技大会
6月	学園祭
7月	期末試験 終業式
8月	夏休み、始業式
9月	大運動会
10月	修学旅行（2年）
12月	期末試験 海外研修旅行 終業式、冬休み
1月	始業式 卒業試験・実技（2年）
2月	国家試験・実技（2年） 卒業試験・学科（2年） 期末試験（1年）
3月	国家試験・筆記（2年） 卒業式 終業式、春休み

学校ごとに多彩なカリキュラム。昼間課程では学校行事も充実

養成施設のなかで最も多いのが、2年制の昼間課程です。毎日朝から夕方まで授業があり、理容・美容の専門分野を集中的に学べます。カリキュラムは学校ごとに特色があり、学校直営のサロンでより実践的な実習を行う学校や、第一線で活躍するトップスタイリストを講師にむかえて特別授業を行う学校もあります。多くの学校で、国家試験や就職の対策にも力を入れています。

昼間課程では、学校行事も充実しています。学園祭などで学生同士で協力し合う経験や、ボランティアを通して人と接する経験は、将来の仕事に役立つでしょう。授業とは別に、学生向けの理容・美容技術のコンテストに挑戦する学生もいます。また、学校によってはホームルームの時間があり、学生生活を通して社会で役に立つルールやマナーも身につけられるよう指導しています。

写真提供・取材協力：国際文化理容美容専門学校

? 学校ではどんな授業が行われているの？

1年次の時間割の例

（国際文化理容美容専門学校の場合）

理容科と美容科の両方がある養成施設では、専攻していないほうの学科の内容も学べる場合があります。

理容科

	月	火	水	木	金
1 2	ヘアカット	関係法規・制度	ネイル	シャンプー	礼法
3 4	英会話	シェービング	ヘアメイク	香粧品化学	フェイシャルトリートメント
5 6	文化論	基礎デッサン	保健	ヘアカラー	衛生管理

美容科

	月	火	水	木	金
1 2	ヘアカット	保健	メイク	基礎デッサン	着付
3 4	文化論	シャンプー	ワインディング	衛生管理	礼法
5 6	英会話	関係法規・制度	香粧品化学	ヘアカラー	ネイル

1年次から専門分野を勉強。幅広い内容の選択課目も

昼間課程では多くの場合、2年間で必要な知識・技術をすべて身につけることになるため、1年次から専門分野の授業がたくさんあります。学ぶべきことは多いですが、興味をもってコツコツとり組んでいけば、着実に実力をつけることができるでしょう。定期テストを行って学んだ内容を確認するのは、中学校や高等学校と同じです。

養成施設ごとに設定する選択課目は、語学、芸術、エステティック技術、美容カウンセリングなど、幅広い内容が用意されています。教養を身につけることによって豊かな人間性を育み、理容・美容の専門的技術者としての自覚を養うことを目的としています。

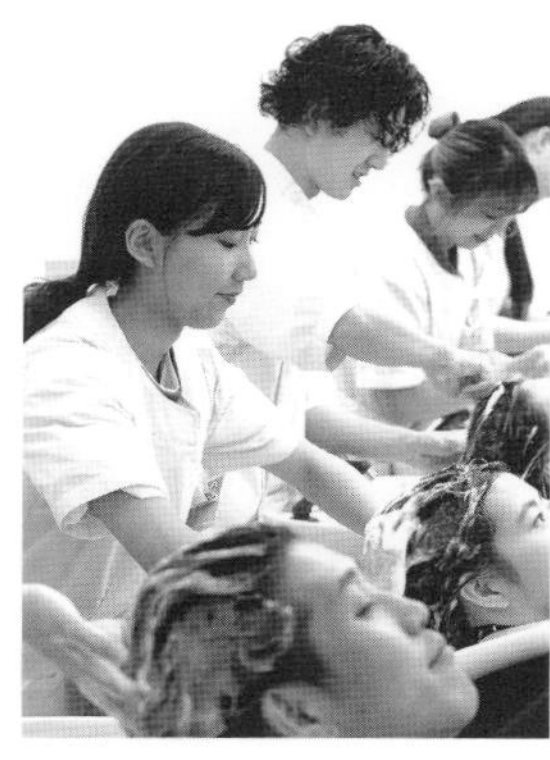
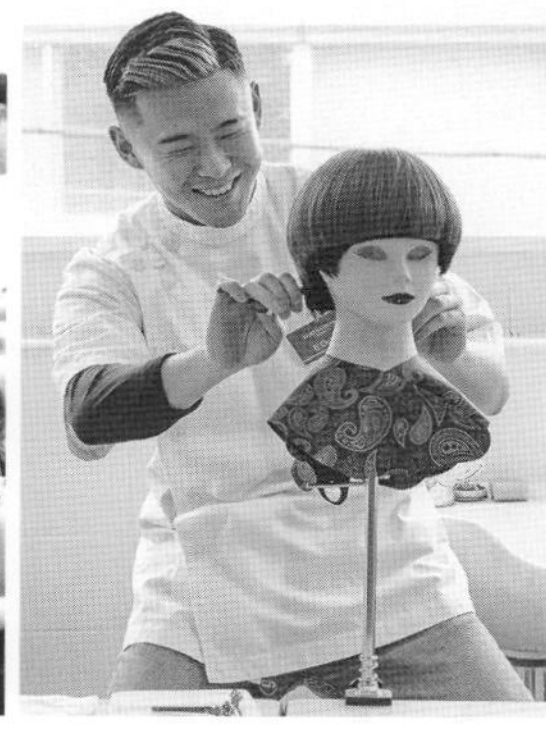

カット、シャンプー、パーマは、理容師や美容師に欠かせない技術です。できるまで学生一人ひとりにていねいに教えてくれます。

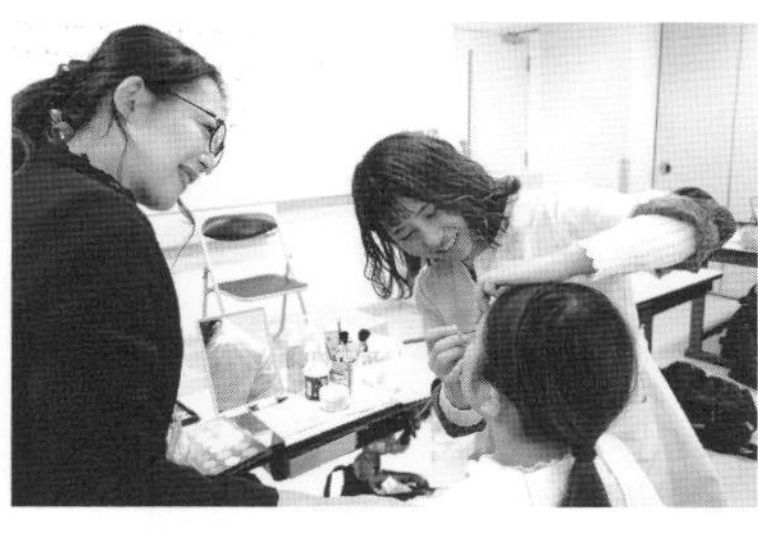

理容技術であるシェービング、美容技術であるメイクアップなど、それぞれに特有の専門技術もしっかりと身につけます。実技に関しても定期テストで習熟度をチェックします。

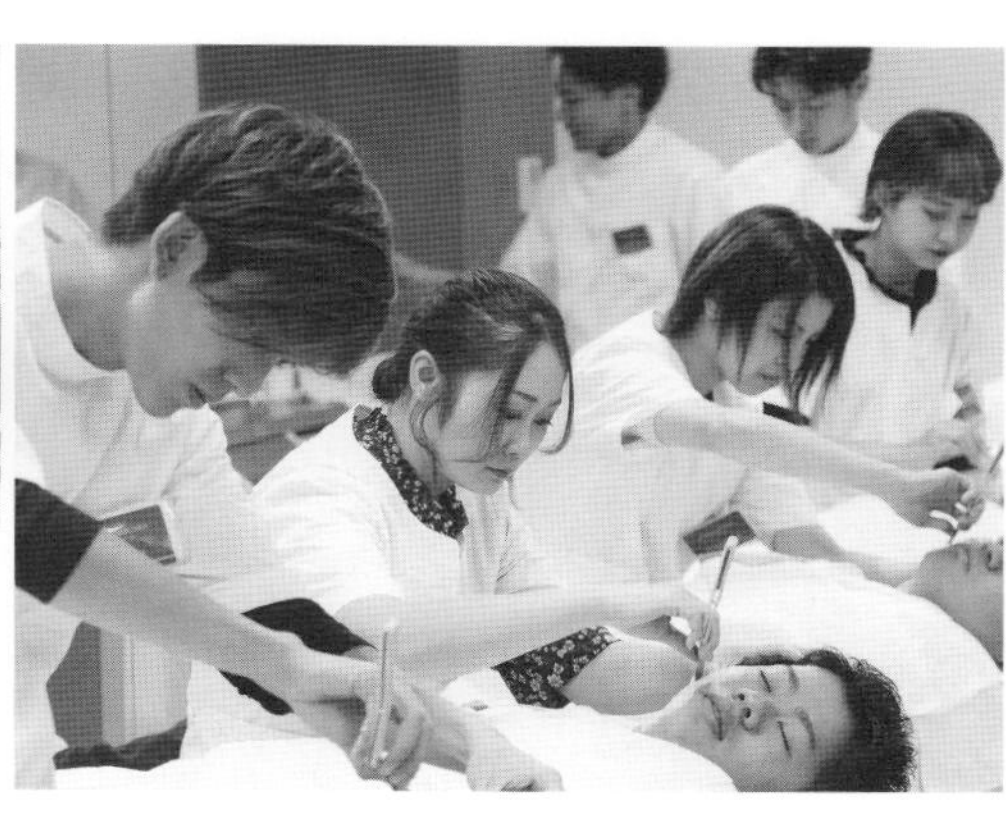

実習では、理容師・美容師の仕事内容に沿った技術を習得

教室で知識を学ぶ授業（座学）のほかに実習が多いのが、理容師・美容師養成施設の特徴です。設備の整った実習室で、練習用ウィッグを使ったり、学生同士で施術し合ったりして行います。講師が一人ひとりの作業のようすを見て回り、個別に指導してくれます。ある程度技術や知識が身についたら、学校内のサロン、理容室や美容室で、実務についての指導を受けます。

実習内容は、器具のとりあつかいや施術の基本動作、衛生管理に始まり、カット、シャンプー、パーマ、カラーリング（ヘアカラー）のほか、ネイルやエステの技術も学びます。さらに、実際の仕事内容に合わせて、理容師課程ではシェービング、かり上げ、アイロンセットなどの技術、美容師課程ではアップスタイリング、メイクアップ、まつ毛エクステンション、着つけなどの技術も習得します。

写真提供・取材協力：国際文化理容美容専門学校

？ 気になる費用は、どのくらいかかるの？

養成施設はほぼすべて私立で、学費は年間100万円程度

理容師・美容師養成施設は、ほぼすべてが私立で、大半が専門学校です。学費は、昼間課程も夜間課程も、年間100万円前後が相場となっています。学校によってカリキュラムがちがうため、学費にもばらつきがあります。実習が多いことから、授業料と別に実習費や教材費などが多くかかる場合もあります。よく確認しましょう。

通信課程は、昼間課程や夜間課程と比べると、学費が安く設定されています。

また、自治体や民間団体の奨学金制度を利用できるほか、学校が独自の奨学金制度を設けていることもあります。学費が心配な人は、調べてみるとよいでしょう。

学費の目安

学校の種類			年間の学費（授業料、実習費、施設費など）
昼間課程	専門学校など	私立	約80万～150万円
	短期大学・大学	私立	約100万～160万円
	職業能力開発校	公立	約30万～35万円（教科書・教材などの費用含む）
	高等学校別科	公立	約30万円（教科書・教材などの費用含む）
夜間課程	専門学校など	私立	約80万～130万円
通信課程	専門学校など	私立	約20万～35万円

このほかに入学金も必要です。教科書代や学用品代などが別途かかる場合もあります。

奨学金の種類

民間団体の奨学金

学校の奨学金

自治体の奨学金

資格がなくても、理容室や美容室で働けるの？

見習いができる仕事

- 受付や会計
- 予約電話の対応
- 店内清掃
- 道具の準備や洗浄、あと片づけ
- タオルやケープの洗濯
- シャンプー剤など備品の管理、補充
- その他の雑用

見習いとして働くメリット

金銭面

アルバイト代がもらえるほか、学費支援制度がある店なら、学費を負担してもらえる。

現場での経験

お客さんに施術はできないが、学校で学んだ知識や技術を実践的に理解する助けとなる。

資格取得を目指しながら、無資格でもできる仕事を担当

仕事として、お客さんに対してカットやパーマなどの施術ができるのは、資格をもつ理容師や美容師のみと、法律によって定められています。そのため、無資格の人が見習いとして働く場合、できる仕事は受付や店内清掃などに限られます。

見習いとして働く人の多くはアルバイトで、理容師・美容師の資格取得を目指して、養成施設の夜間課程や通信課程で勉強している学生です。アルバイト代をかせいで学費などにあてつつ、現場での仕事を経験できるという利点があります。なかには、資格取得を目指す見習い従業員の学費を負担してくれる理容室・美容室もあります。

? 理容師試験・美容師試験って、どんなもの？

理容師試験・美容師試験の合格者数と合格率

公益財団法人理容師美容師試験研修センター「過去の試験実施状況」より作成

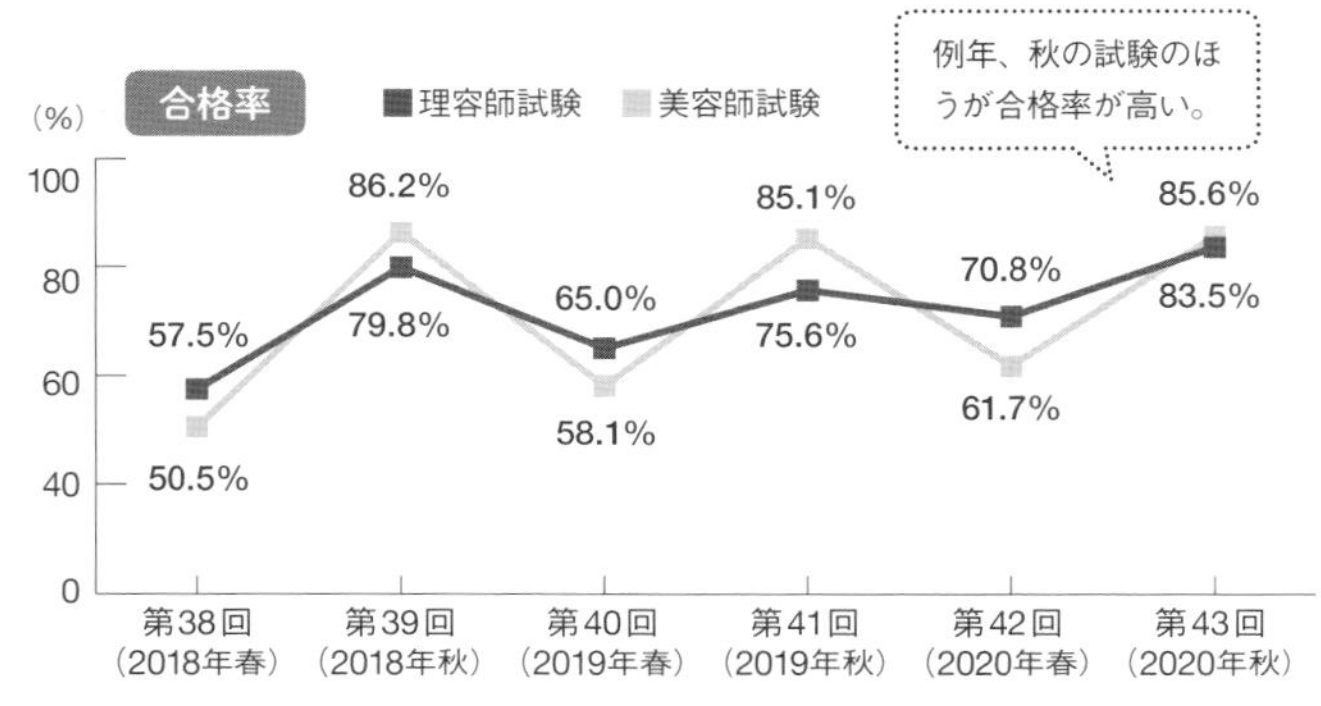

理容師・美容師資格を得るための国家試験。合格率は高めです

理容師や美容師になるには、国家試験に合格しなければなりません。受験資格があるのは、養成施設で指定された課程を修了した人です。

試験は毎年、春と秋の2回実施されます。先に実技試験、その約1か月後に筆記試験が行われ、両方に合格する必要があります。いずれか一方だけ合格した場合は、その次の試験に限って、前回合格した試験が免除されます。

近年の合格率は、理容師が60～80%、美容師が50～85%と高めです。しっかりと練習や勉強をして備えれば、国家試験のなかでは比較的合格しやすい試験といえるでしょう。

理容師試験・美容師試験の内容

実技試験 規格に適合するモデルウィッグを用いて、制限時間内に決められた課題の施術を行う。

【試験課目】 **理容師**：理容技術（カッティング、シェービングおよび顔面処置、整髪、衛生上の取扱）

美容師：美容技術（カッティング、オールウェーブセッティングまたはワインディング、衛生上の取扱）

※オールウェーブセッティング、ワインディングは、いずれもパーマの技術。

筆記試験 4つの選択肢から正しいものを選んで回答する選択式。「理容技術理論または美容技術理論」以外は、理容師・美容師で共通。

【試験課目】 関係法規・制度、運営管理、
衛生管理（公衆衛生・環境衛生、感染症、衛生管理技術）、
保健（人体の構造及び機能、皮膚科学）、香粧品化学、
文化論、理容技術理論または美容技術理論

理容師・美容師免許申請、登録

カットなどの実技試験と、選択式の筆記試験の2本立て

実技試験は、国家試験用のモデルウィッグを用いて、制限時間内に決められた課題の施術を行います。両者共通であるカッティング（カット）のほかに、理容師であればシェービングや整髪、美容師であればパーマの技術などが課題となり、持参する用具類も細かく指定されます。基本的な技術と同時に、「衛生上の取扱試験」として、身だしなみや消毒など、衛生面の配慮が行き届いているかということも採点されます。

筆記試験は選択式の問題が55問出題され、制限時間は100分です。衛生管理や保健など、理容師と美容師に共通して必要な知識が多いため、筆記試験の内容は、一部を除いてほぼ共通となっています。また、すでに理容師免許か美容師免許をもっている人が、もっていないほうの試験を受験する場合には、筆記試験が一部免除されます。

理容師・美容師に向いているのはどんな人？

人と接するのが好きで、ファッションに関心がある人

理容師や美容師は、お客さんに対して、カット、パーマ、カラーなどの施術を行います。トータルでお客さんに満足してもらうためには、技術だけでなく、お客さんの好みや希望を聞き出すためのコミュニケーション能力が欠かせません。人と接するのが好きな人に向いている仕事です。

お客さんをおしゃれにする仕事ですから、ヘアメイクやファッションに関心をもっていることも大切です。

手先の器用さもある程度は必要ですが、それ以上に、技術を身につけたり、向上させたりするための地道な努力ができることが、重要なポイントとなるでしょう。

向いている人の特徴

人が好きで気配りができる

人と接する仕事なので、人が好きで、上手にコミュニケーションがとれることがだいじです。施術の際にも、相手に対してこまやかな気配りが求められます。

おしゃれで好奇心旺盛

ファッションや美容に強い関心があり、おしゃれな人に向いている仕事です。最新の流行を知るために、雑誌やインターネットで情報を得たり、街に出かけたりする好奇心も大切。

地道な努力ができる人

技術を身につけるためには、くり返し練習する必要があります。資格取得後も、スキルアップのために練習は欠かせません。努力を続けることができる、辛抱強さが必要です。

？ 中学校・高等学校でやっておくといいことはある？

いかせる科目

いかせること		科目
パーマやカラーの時間の計算、パーマに使うロッドの種類の選択	←	数学
施術に用いる薬剤のしくみ	←	理科
美的感覚、観察力、完成形をイメージする力		美術
お客さんや店のスタッフとのコミュニケーション	←	国語
お客さんとの会話		社会
コミュニケーション能力、協調性		クラブ活動
外国人客への対応、海外の情報収集		英語

薬剤を使いこなすために、数学や化学の知識が役立ちます

パーマやカラーには多くの薬剤を使用します。そのしくみを知り、使いこなすためには、数学や化学の知識が必要です。

美術の授業は、理容師・美容師に欠かせない美的感覚の向上に役立ちます。養成施設では、観察力や完成形をイメージする力をきたえるために、絵を描く授業もあります。

店で働くようになれば、協調性やチームワーク、コミュニケーション能力などが必要になります。クラブ活動やボランティアの経験がいかせるでしょう。

最近は、外国人客が来店することもあるので、英語ができれば武器になるはずです。英語力は、海外の情報収集にも使えます。

理容師と美容師は、どうちがうの？

理容師と美容師の業務範囲など

		理容師	美容師
業務の定義		「理容」とは、頭髪のかりこみ、顔そりなどの方法により、容姿を整えることをいう。	「美容」とは、パーマネントウェーブ、結髪、化粧などの方法により、容姿を美しくすることをいう。
業務範囲	パーマ	○	○
	カット	○	○
	シェービング（顔そり）	○	△
	ヘアセット	×	○
	メイク	×	○
	ヘアエクステンション	○	○
	まつ毛エクステンション	×	○
	着つけ	資格不要 （美容師が行うことが多い）	

理容師法と美容師法で それぞれの仕事が決まっています

理容師と美容師は、一見同じような仕事に見えますが、それぞれの資格や業務については、「理容師法」「美容師法」という異なる法律で規定されています。具体的な業務範囲に関しては、厚生労働省の通知に従うことになっています。

例えば、2015年の通知によって、理容師は、それまで男性に対する施術しか認められていなかったパーマを、客の性別によらず行えるようになりました。また、美容師は、それまでパーマなどにともなう場合と、女性への施術しか認められていなかったカットを、客の性別によらず行うことができるようになりました。

理容師・美容師の特徴的な業務

理容師の業務

シェービング（顔そり）

かみそりを用いてひげやうぶ毛をそること。理容師法に定める「理容」の範囲であるため、基本的には理容師の業務となる。

ただし、メイクの準備として行う軽い程度の顔そりは、化粧の一部として美容師が行ってもよい。

ヘアセット

髪を結ってアップスタイルにしたり、ヘアアイロン（コテ）やカーラーを用いてウェーブをつくったりして、髪型を美しく整えること。美容師法でいう「結髪」にあたり、美容師の業務とされる。

美容師の業務

メイクなど

メイクは美容師法でいう「化粧」にあたり、「美容」の範囲であるため、美容師の業務。

まつ毛エクステンションも美容にあたるとされ、施術できるのは美容師に限られる。

シェービングはおもに理容師、ヘアセットやメイクは美容師の仕事

理容師だけができる仕事といえば、シェービング（顔そり）です。美容師は基本的にはかみそりの使用を許可されていません。ただし、メイクの準備としての顔そりについては、例外的に認められるようになりました。

美容師の仕事として特徴的なものには、ヘアセットやメイクがあります。また、ヘアエクステンション（つけ毛をつけること）は理容師でもできますが、まつ毛エクステンションができるのは美容師のみです。

成人式などの着物の着つけに資格は不要ですが、ヘアセットやメイクとセットで美容室で行うケースが多いため、着つけのスキルを身につけている美容師もいます。

養成施設のなかには、理容師と美容師の両方の勉強ができる学校もあります。両方の資格を取得すれば、仕事の幅を広げることができるでしょう。

？ 理容師・美容師って、どのくらいいるの？

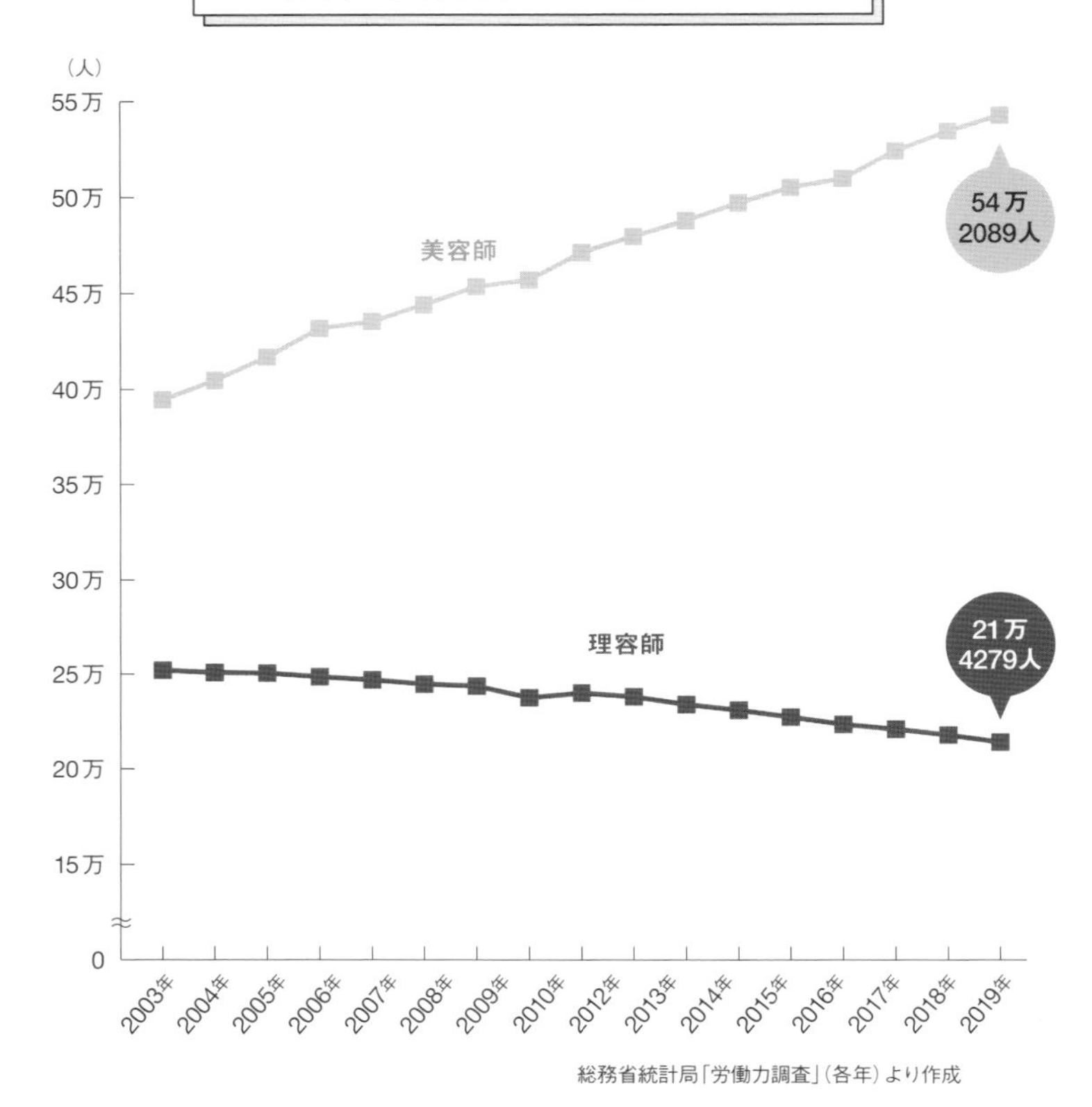

総務省統計局「労働力調査」（各年）より作成

働いている理容師は21万人以上、美容師は54万人以上

現在働いている人の数は、理容師が約21万４０００人、美容師は理容師の２倍以上の54万２０００人です（２０１９年度末）。理容師が少しずつ減っている一方で、美容師は増加を続けています。

免許登録者数全体では、理容師が60万人強、美容師が１３３万人強となっています。現在働いている人の数と比べると、資格はあるけれども理容師・美容師として働いていない人も多いことがわかります。

国家試験に合格し、新規に免許登録する人の数は、理容師が１５００人前後、美容師が１万８０００人前後。ここ10年ほど大きな増減はありません。

理容室・美容室で働く人の男女別割合

総務省統計局「令和元年経済センサス - 基礎調査」（2020年）より作成

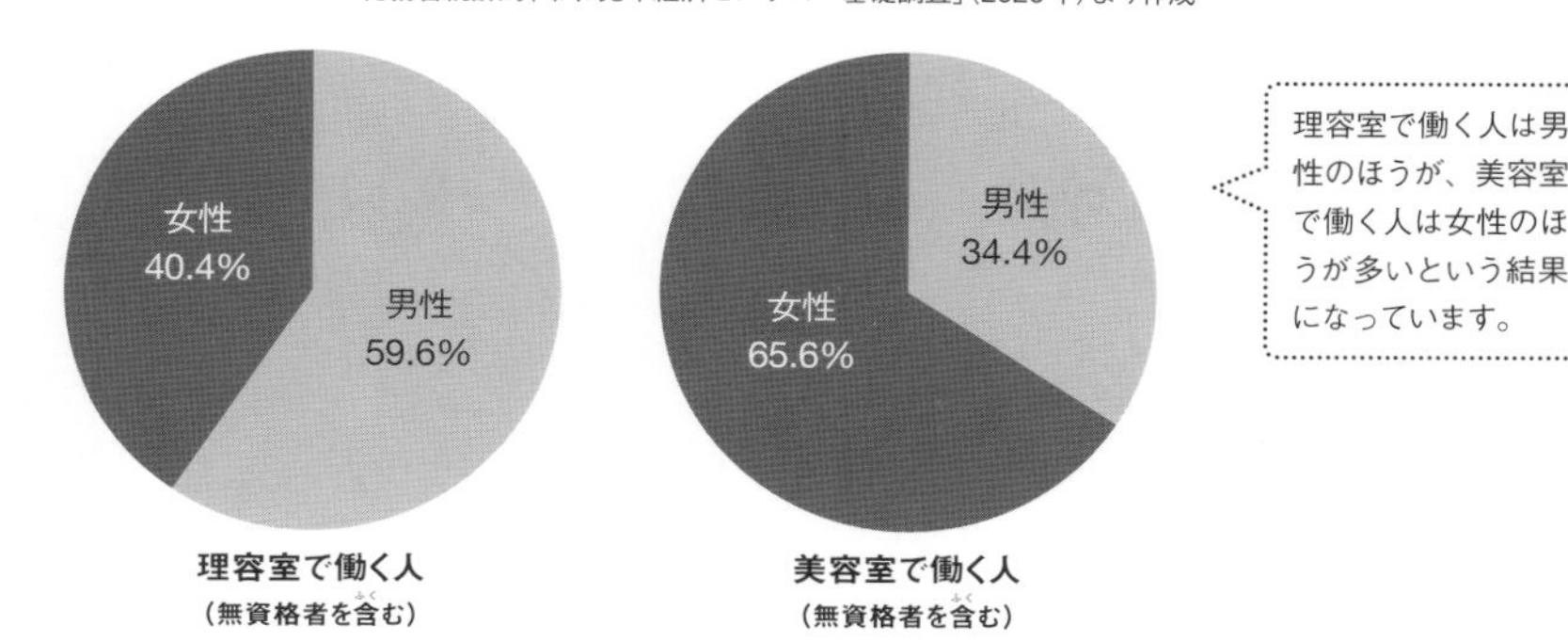

理容師・美容師の年齢別割合

厚生労働省「令和元年賃金構造基本統計調査」（2020年）より作成

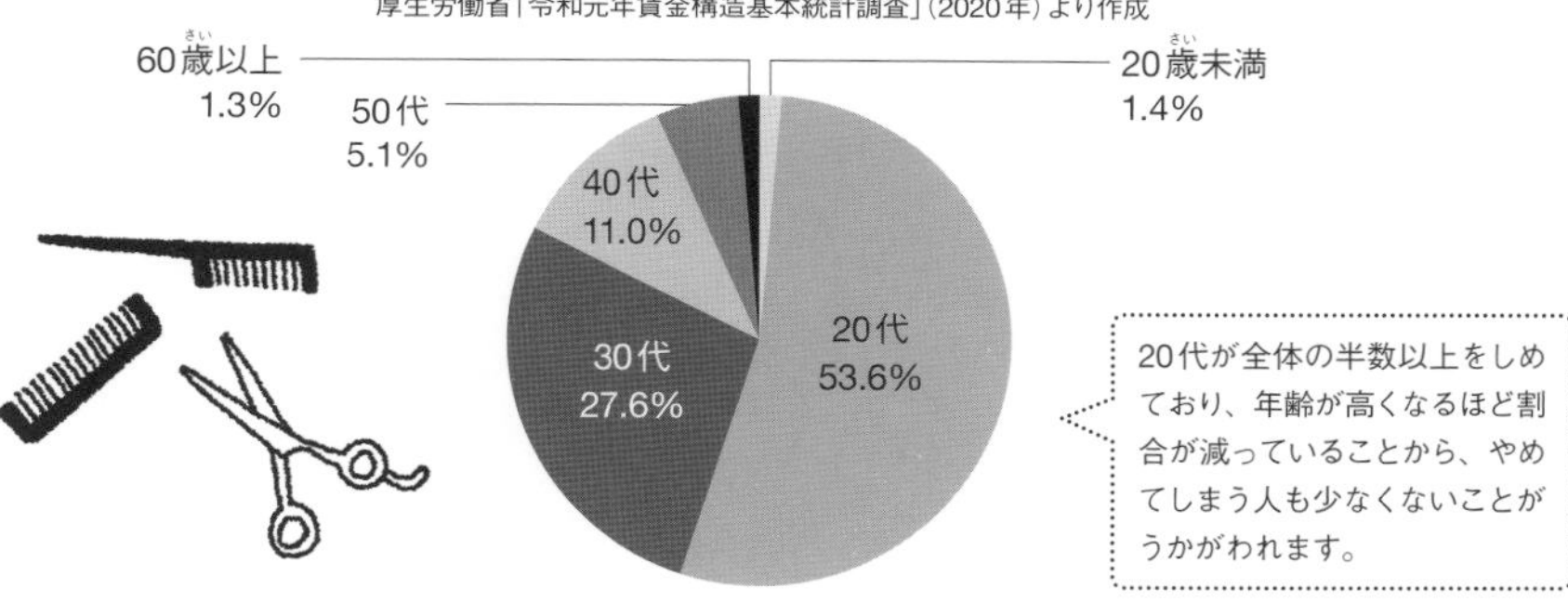

男女ともに活躍できる職種。若い人が多く働いています

理容師は、もともと男性向けにサービスを提供する職業だったこともあり、男性の職業というイメージが強いかもしれません。実際、理容室で働く人（無資格者を含む）の男女比を見ると、男性が約60％、女性が約40％と、男性のほうが多いことがわかります。しかし、近年は、女性のシェービングの需要が増えていることなどから、女性理容師の活躍も目立つようになってきています。

一方、美容室で働く人は逆に女性のほうが多く、約66％をしめています。理容師・美容師ともに、性別にかかわらず活躍できる職種といえるでしょう。

理容師・美容師として働く人の年齢を見ると、半数以上が20代で、年齢を追うごとに割合が減っていきます。勤続年数が平均6～7年という調査結果もあり、年を経て転職したり引退したりする人も多いようです。

理容師・美容師はどうキャリアアップしていくの？

アシスタントからスタートして、スタイリストなどに昇格

理容師や美容師の資格があるからといって、新人がすぐにお客さんを担当することは、まずありません。アシスタントとして数年働いたのち、テストなどで技術を認められて初めて、一人前のスタイリストになれるのです。さらに、経験や技術に応じて、「チーフスタイリスト」「ディレクター」などさらに上の職位に昇格していくのが一般的です。

アシスタントの仕事内容は、おもに先輩スタイリストの施術の手伝いです。お客さんと直接接する仕事は、シャンプーやブローといった比較的簡単な内容のみ。閉店後に、練習用ウィッグやモデルに施術し、先輩に指導を受けるなどして技術をみがきます。

理容師・美容師の関連資格など（例）

資格・制度	内容
管理理容師 管理美容師	理容師法・美容師法に定められた資格。免許取得後、3年以上理容・美容の業務に従事し、かつ、指定の講習会の課程を修了した者に付与される。
全理連ヘア・カウンセラー	全国理容連合会が認定。ヘアケア、スキンケア全般についての専門カリキュラムを修了し、専門的かつ実践的な知識と技能を有するスペシャリスト。
ケア理容師	全国理容連合会とシルバーサービス振興会が認定。高齢者や障がい者に理容サービスを提供するうえで必要な知識や技術を修得した、専門性の高い理容師。
全美連評価認定制度（SBS） ディレクター1～3級、 スーパーバイザー、指導講師	美容連合会による制度。美容師と、美容師を目指す学生を対象に、「エステ」「ネイル」「メイク」「着付」「接遇・マナー」の5種目について、知識・技術を評価し認定する。試験にはすべて学科と実技がある。
ハートフル美容師	美容連合会とシルバーサービス振興会が認定。高齢者や障がい者に安心して美容施術を受けてもらうために必要な知識・技能を有する美容師。
着付け技能士 1級、2級	技能検定（労働者の技能の習得レベルを評価する国家検定制度）のうちの一つで、他人に着物を着つける業務の技能を公に証明する資格。試験は全日本着付け技能センターが実施。

「管理理容師」「管理美容師」や、ほかの関連資格を取得する人も

理容室も美容室も、常時働く従業員の数が2人以上である場合、店の衛生管理の責任者として、「管理理容師」「管理美容師」を置かなければならないと、法律で決められています。自分で店を開くなら、取得しておきたい資格です。

全国理容生活衛生同業組合連合会（全国理容連合会）や全日本美容業生活衛生同業組合連合会（美容連合会）などの団体は、理容師・美容師向けのさまざまな教育事業に取り組んでいます。また、美容師の場合、国家資格である「着付け技能士」を取得しておくと、仕事に役立つでしょう。

近年、特に注目されているのが、移動が困難な人の自宅や施設を訪問して施術をする訪問理美容の仕事です。理容師・美容師の資格があれば行うことができますが、複数の民間団体が認定資格を設けています。

？ 収入はどのくらい？ 就職はしやすいの？

年収を比べてみると…

職種別平均収入

理容師・美容師
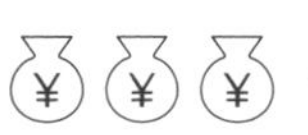

販売店員

デザイナー
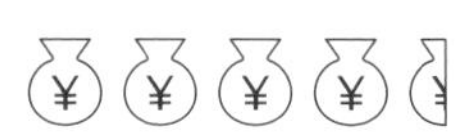

プログラマー

看護師

保育士

教員

高収入とはいえませんが、経験とともに給与もアップ

厚生労働省が実施する賃金構造基本統計調査（2019年）によると、理容師・美容師の平均年収は、賞与などもあわせて300万円強です。国家資格が必要な職種であるにもかかわらず、収入は高いとはいえません。ただ、これには就業者の平均年齢が31歳と若いことも影響していると考えられます。

各自の売上額が給与に反映されるケースも多く、経験を重ねてお客さんから指名を受けるようになると、収入はアップします。未経験の段階での月給は18万円程度ですが、経験年数10年を超えると、月給30万円以上の人も多くなってきます。また、独立開業して成功すれば、さらなる高収入も期待できます。

就職のしやすさを比べてみると…

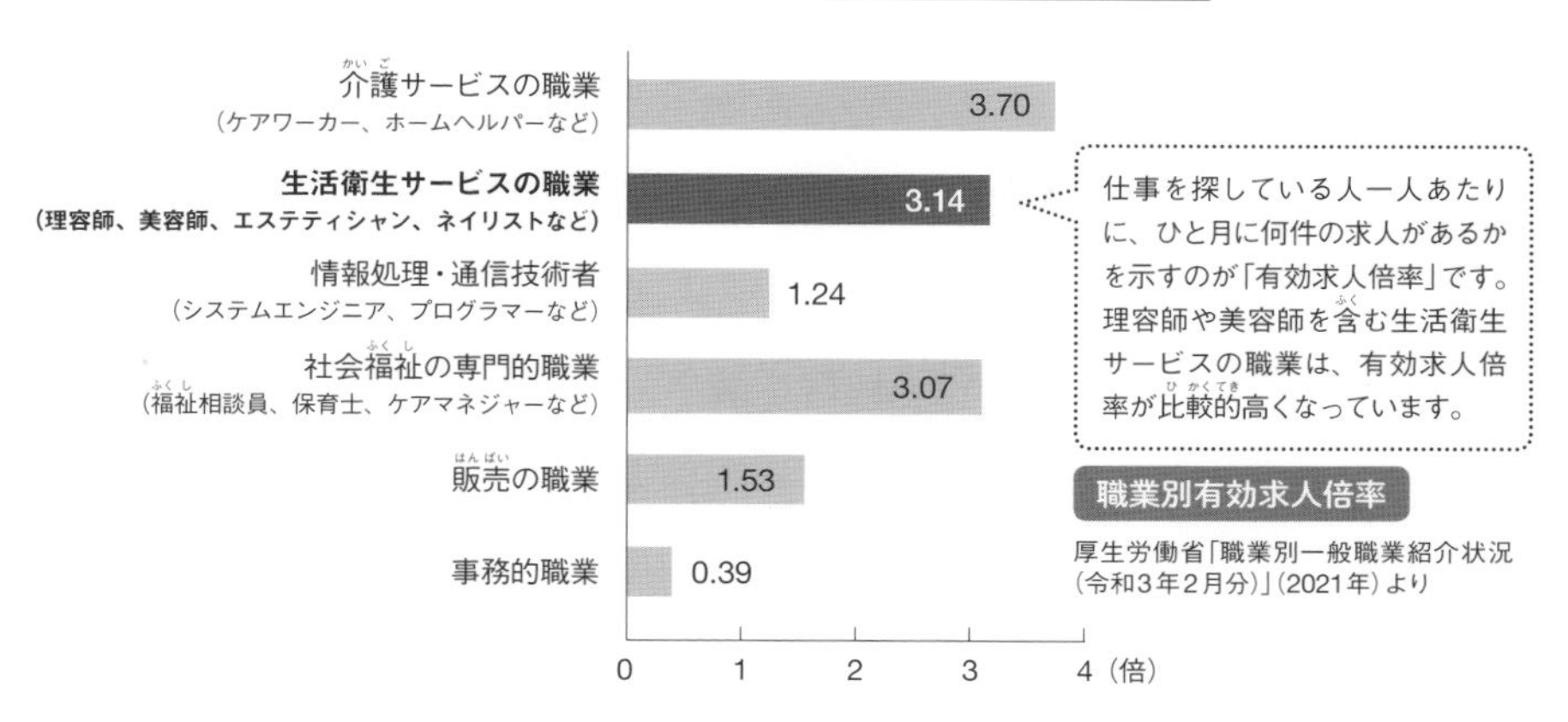

職業別有効求人倍率

厚生労働省「職業別一般職業紹介状況（令和3年2月分）」（2021年）より

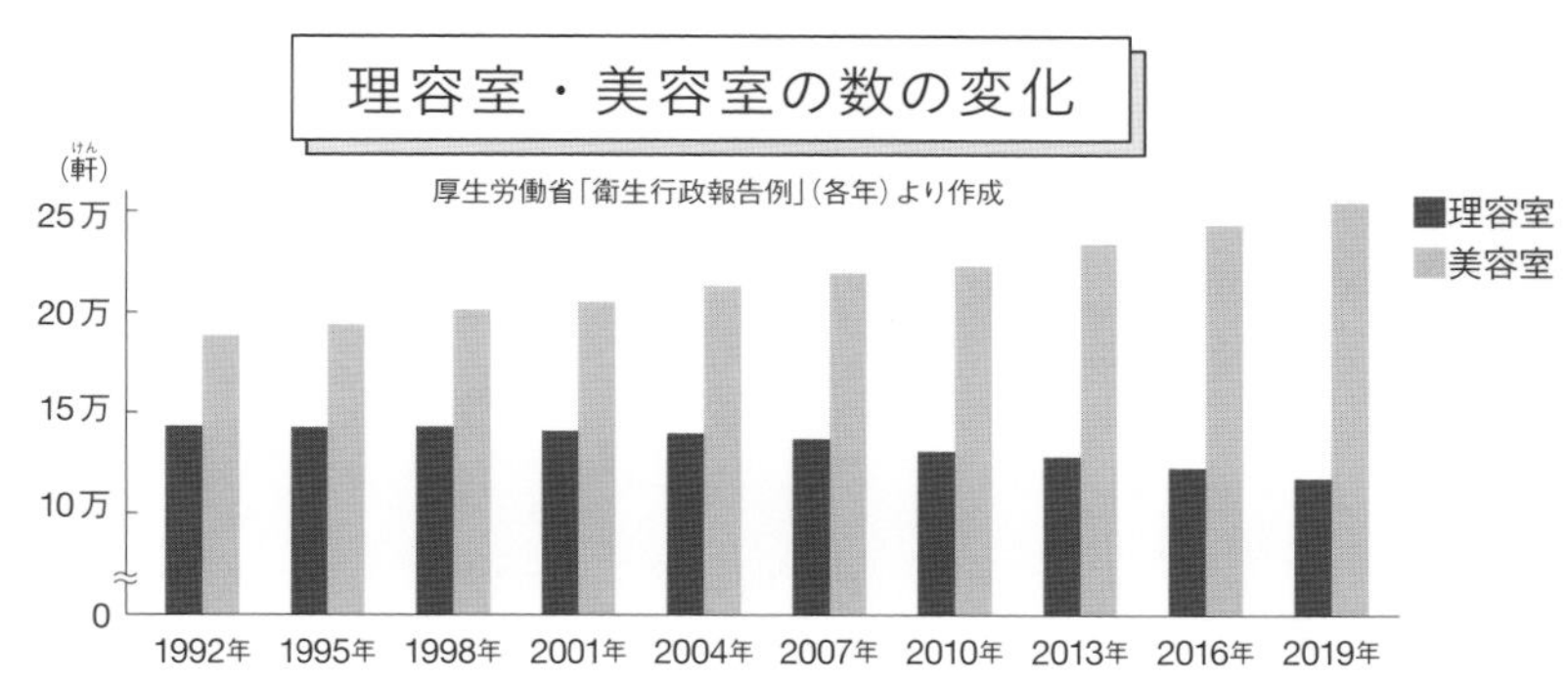

求人は多く就職しやすい仕事。フリーランスという働き方も

理容師や美容師はいつの時代も必要な職業なので、求人は常にあります。就職に困ることはないでしょう。資格があるため、出産や育児などで仕事を中断しても再就職しやすいという特徴もあります。

おもな仕事場である理容室・美容室の数は、２０１９年度末の時点で、理容室が約11万７０００軒、美容室は25万４０００軒となっています。理容室が減少しているのと対照的に、美容室は毎年増加しています。少子化により人口の減少が進むなかで、競争が激しくなっているといえるでしょう。

最近では、美容室や理容室に就職せず、自分の店ももたずに、フリーランスで働く人もいます。サロンの一部を借りて営業するなどの形をとるのです。スタイリストになってお客さんがつけば、このような働き方も選択肢の一つです。

? 理容・美容業界で今、問題になっていることは？

多様化するニーズへの対応と、労働環境の見直し

理容室の数は30年前から徐々に減少しています。経営状態を安定させるには、魅力的な店づくりをし、施術の単価を上げたり、時代に合うサービスを提供したりといった、各店のくふうが求められます。

一方、美容室の数は増加しています。競争が増していくなか、例えば、駅前の若者向けの店、住宅街の中高年向けの店、訪問美容をおもに行う店など、各店が分業化していくことで、経営が安定すると考えられます。

また、理容・美容業界の労働環境については、長時間労働や休日の少なさ、社会保険の不備などが問題視されています。交替制や時短勤務をとり入れることも必要でしょう。

取材協力：全理連中央講師会 幹事長 白川丈晴／千葉県美容業生活衛生同業組合 理事長 野村敏夫

これから10年後、どんなふうになる？

男女を問わず、それぞれが求める
理容・美容サービスを利用する傾向

理容師・美容師の
資格が一つになる
可能性も…

理容・美容の垣根がなくなり、資格が一つに統合される可能性も

科学技術の進歩は目覚ましいですが、理容師・美容師の仕事には、個々の技術やセンス、コミュニケーション力が必要不可欠。機械にはかわることができません。ただし、予約や会計、洗濯や店内清掃といった業務は、自動化・機械化によって効率化が進むでしょう。

かつては、男性向けの理容、女性向けの美容という区別がはっきりしていましたが、近年、男性の美容への関心が高まったり、女性の顔そりのニーズが増えたりと、その垣根はなくなりつつあります。こうした流れを受け、理容師・美容師の資格が一つになる可能性も出てきます。資格の統合化は、いずれ現実化していくでしょう。

取材協力：全理連中央講師会 幹事長 白川丈晴／千葉県美容業生活衛生同業組合 理事長 野村敏夫

？ 理容師・美容師の職場体験って、できるの？

職場体験でできること（例）

- 受付での接客
- 予約電話を受ける
- 店内の清掃や備品の補充
- タオルなどの洗濯
- 練習用ウィッグでカットやワインディングの施術体験
- 中学生同士でシャンプーの施術体験

など

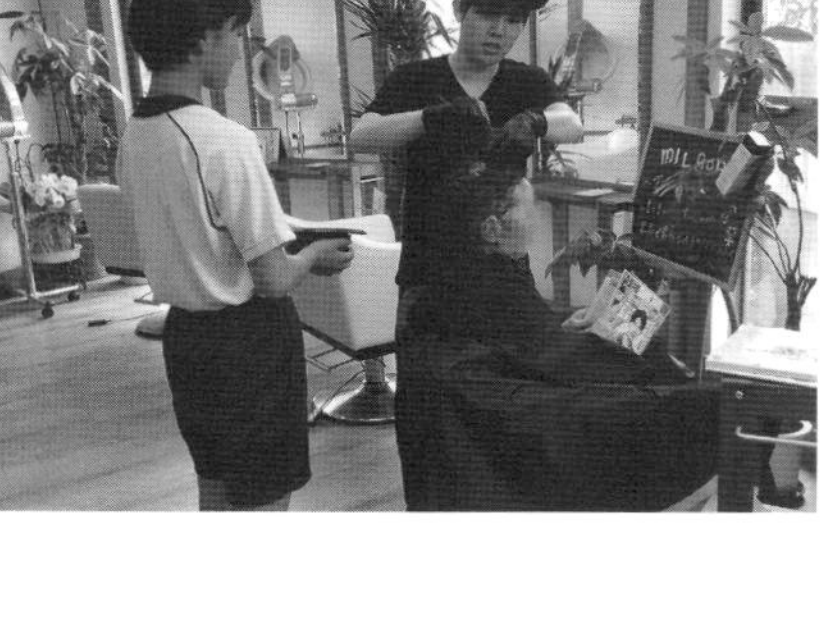

お店のスタッフがお客さんに施術しているときは、店内の清掃など、資格がなくてもできる仕事を手伝ったり、施術の補助をしたりしながら、実際の仕事の流れを確認します。

お客さんへの施術はできませんが、そのほかの仕事は体験できます

多くの理容室や美容室が、中学生の職場体験を受け入れています。理容師や美容師は、中学生にとっては身近な仕事であるため、職場体験の職業として人気です。

しかし、理容師や美容師の資格がなければ、お客さんにふれる施術はできません。そのため、職場体験では、受付での予約や接客、店内清掃や用具の片づけなどをさせてもらうことになります。実技については、店によりますが、お客さんの少ない時間などに、練習用ウィッグを使ってカットやワインディング（パーマ用のロッドを巻くこと）をしたり、中学生同士でシャンプーをし合ったりといったことが体験できます。

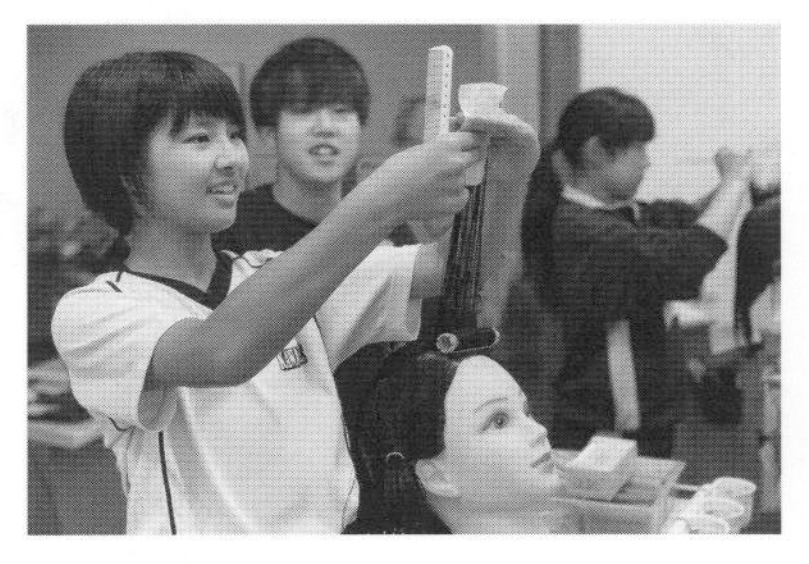
練習用ウィッグを使って、ロッドを巻いたり、カットをしたりという本格的な体験をさせてもらえることもあります。

写真提供：美容室グラン・ブルー、四国中央市立川之江北中学校、四国中央市立川之江南中学校

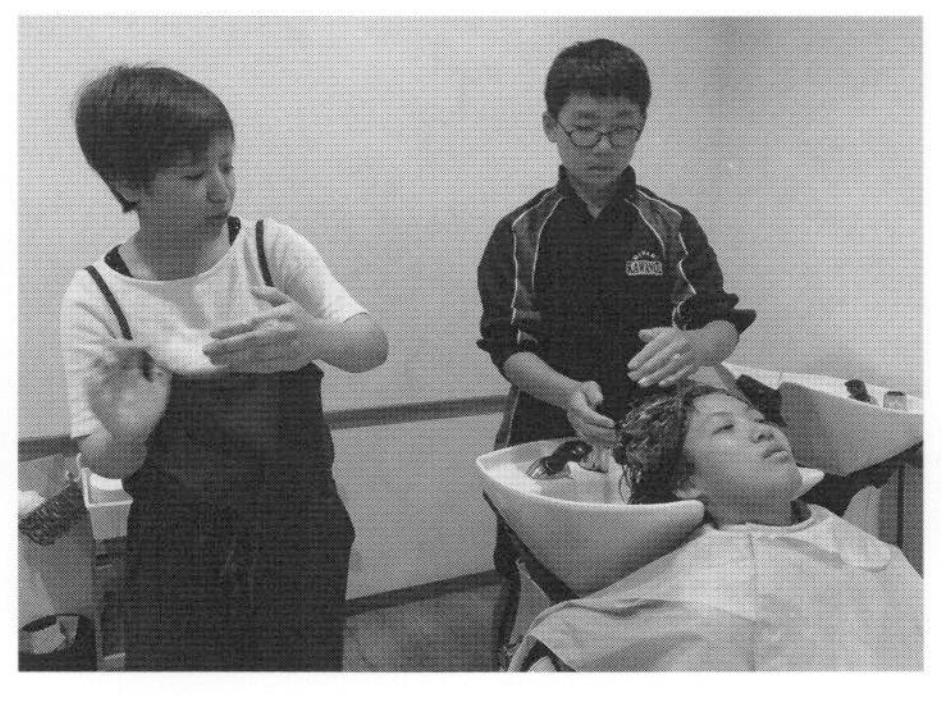
予約の合間の空き時間に、やり方やコツを教わりながらシャンプーの施術を体験。いっしょに職場体験に来ている中学生同士、交代でお客さん役になります。

理容ボランティアの日

全国理容生活衛生同業組合連合会では、2008年に9月の第2月曜日を「理容ボランティアの日」と定め、全国で理容ボランティア活動にとり組んでいます。9月第3月曜の敬老の日を、お年寄りがさわやかな気分でむかえられるよう、全国の理容師が老人保健施設などを中心に訪問理容を行うことを基本に、さまざまなボランティア活動を一斉に行っています。

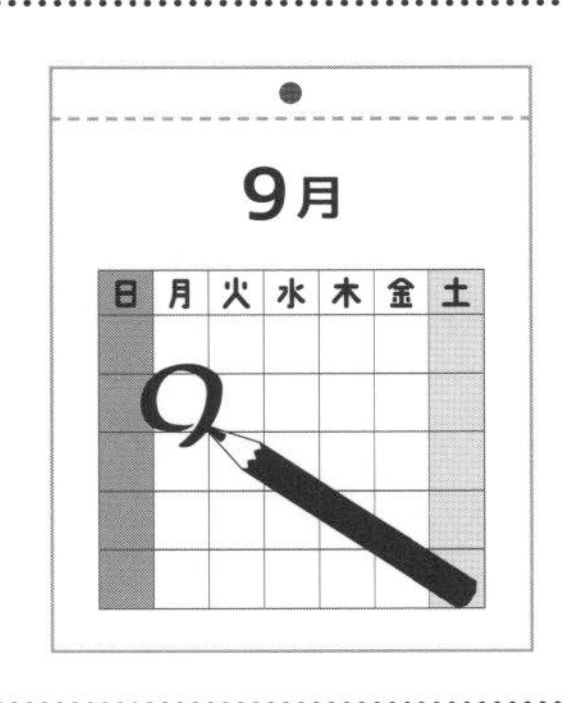

専門学校での職業体験や、子ども向け体験イベントなども

中学生の職場体験は、訪問理美容（44〜45ページ）を行っている理容室・美容室でも受け入れていることがあるので、調べてみるとよいでしょう。介護の仕事にも興味があるなら、同時に経験できて、より有意義な職場体験になるはずです。

理容室・美容室のほかに、専門学校などの養成施設で、中学生向けに職業体験を行っていることもあります。この場合、お客さんとの接点はありませんが、先生や在校生がていねいに指導してくれます。養成施設では、学校の先生に相談してみてください。オープンキャンパスや体験入学でも、練習用ウィッグを使った施術を体験させてくれます。

そのほか、理容室や美容室、都道府県の理容・美容組合、養成施設などが、子ども向けの体験イベントを開催していることもあります。インターネットなどで調べてみましょう。

索引

あ

か

た

さ

な

は

●取材協力（掲載順・敬称略）
Cooya -new hair-
naf hair & eyelash
与儀美容室
株式会社オン・ザ・ストマック
株式会社アデランス
株式会社あっとほーむ
タカラベルモント株式会社
学校法人 国際文化学園　国際文化理容美容専門学校渋谷校/国分寺校
全理連中央講師会
千葉県美容業生活衛生同業組合

編著／WILLこども知育研究所

幼児・児童向けの知育教材・書籍の企画・開発・編集を行う。2002年よりアフガニスタン難民の教育支援活動に参加、2011年3月11日の東日本大震災後は、被災保育所の支援活動を継続的に行っている。主な編著に『レインボーことば絵じてん』、『絵で見てわかる はじめての古典』全10巻、『語りつぎお話絵本 3月11日』全8巻（いずれも学研）、『見たい 聞きたい 恥ずかしくない！ 性の本』全5巻、『やさしく わかる びょうきの えほん』全5巻、『ごみはどこへ ごみのしょりと利用』全3巻（いずれも金の星社）、『？（ギモン）を！（かいけつ）くすりの教室』全3巻、『からだのキセキ・のびのび探究シリーズ』全3巻（いずれも保育社）など。

暮らしを支える仕事 見る知るシリーズ
理容師・美容師の一日

2021年6月20日発行　第1版第1刷©

編　著　WILLこども知育研究所
発行者　長谷川 翔
発行所　株式会社保育社
〒532-0003
大阪市淀川区宮原3－4－30
ニッセイ新大阪ビル16F
TEL 06-6398-5151
FAX 06-6398-5157
https://www.hoikusha.co.jp/
企画制作　株式会社メディカ出版
TEL 06-6398-5048（編集）
https://www.medica.co.jp/
編集担当　中島亜衣
編集協力　株式会社ウィル
執筆協力　秋田葉子／川崎純子／清水理絵
装　幀　大藪胤美（フレーズ）
写　真　田辺エリ
本文イラスト　すぎやまえみこ
印刷・製本　株式会社シナノ パブリッシング プレス

ISBN978-4-586-08634-4　Printed and bound in Japan
乱丁・落丁がありましたら、お取り替えいたします。

消防署
パイロット
消防官
（消防隊員）
警察官
交番
KOBAN
検察庁
検察官
Barber
理容室
理容師
建築士
学校
司書